W9-CFU-370

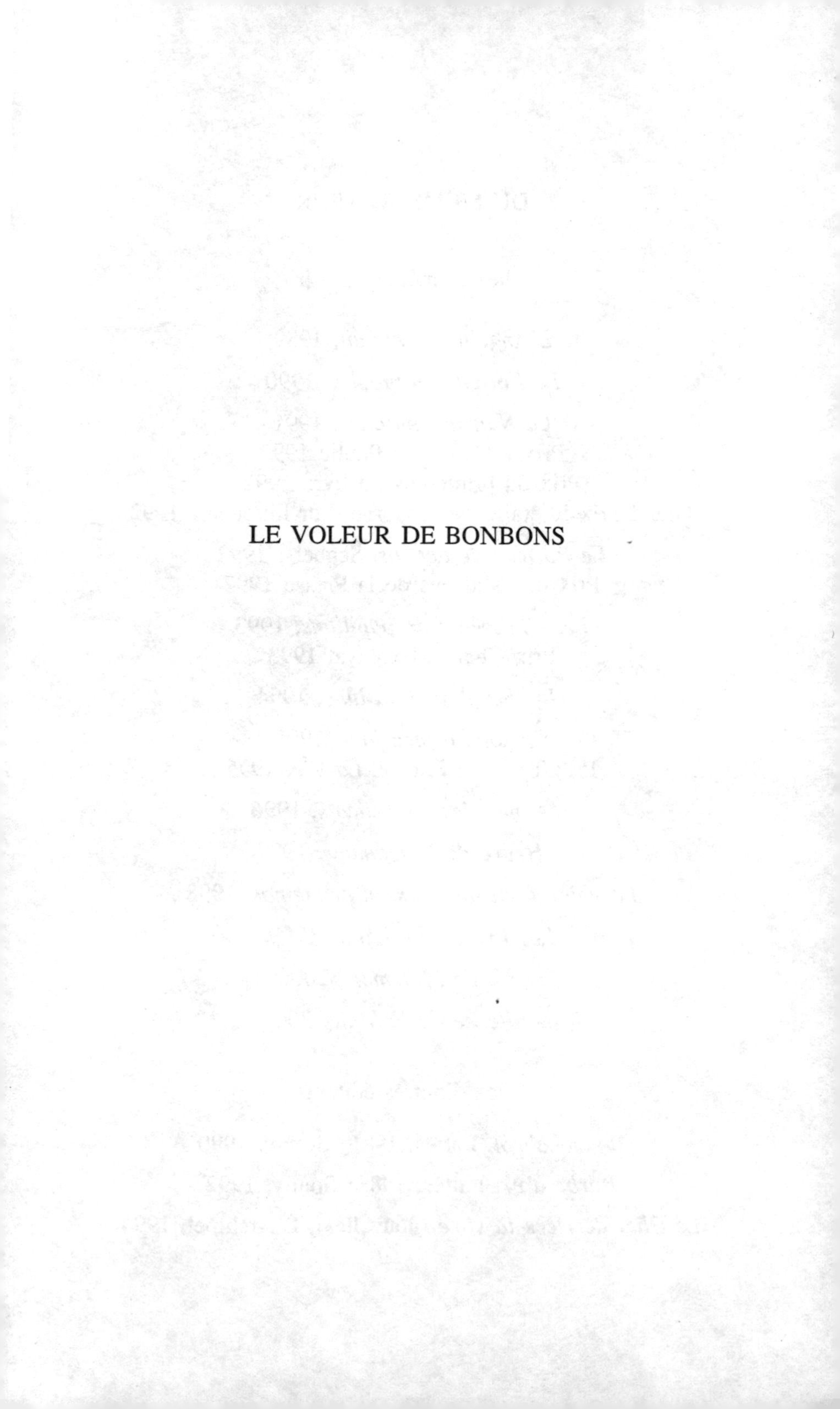

LE VOLEUR DE BONBONS

DU MÊME AUTEUR

Chez le même éditeur

L'Angélus de minuit, 1989

Le Roi en son moulin, 1990

La Nuit des hulottes, 1991
Prix RTL-Grand Public 1992
Prix du printemps du livre 1992
Grand Prix littéraire de la Corne d'or limousine 1992

Le Porteur de destins, Seghers, 1992
Prix des Maisons de la Presse 1992

Les Chasseurs de papillons, 1993
Prix Charles-Exbrayat 1993

Un cheval sous la lune, 1994

Ce soir, il fera jour, 1995
Prix Terre de France, *La Vie*, 1995

L'Année des coquelicots, 1996

L'Heure du braconnier, 1997

La neige fond toujours au printemps, 1998

Les Frères du diable, 1999

Lydia de Malemort, 2000

Le Silence de la Mule, 2001

Chez d'autres éditeurs

Beauchabrol, Lattès, 1981 ; Souny, 1990

Barbe d'or, Lattès, 1983 ; Souny, 1992

Le Chat derrière la vitre (nouvelles), L'Archipel, 1994

GILBERT BORDES

LE VOLEUR DE BONBONS

roman

ROBERT LAFFONT

ISBN 2-221-09626-6

Première partie

Le chemin de la fontaine

Matthieu Moncet naquit le 12 avril 1948, à Lachaud, un hameau de deux maisons de la commune de Peyrolles, près de Tulle, en Corrèze. Un petit laideron que l'on surnomma vite le Têtard à cause de sa grosse tête ronde, ses oreilles décollées, ses yeux globuleux. Il n'avait pas trois ans que sa mère fut emportée par une leucémie en quelques mois d'une souffrance atroce. Matthieu fut élevé par sa grand-mère, Pauline, une forte femme à la voix rude et aux gestes brutaux. Son grand-père, le vieux Gustave, la laissait parler et se rendait dans ses champs avec une nonchalance mesurée. Leur fils, le père de Matthieu, « ce pauvre Armand », comme on disait, était grand, maigre, bossu. Son regard vide montrait qu'il n'avait pas beaucoup de jugeote. Depuis le décès de sa femme, Armelle, une partie de lui-même était morte, et il ne savait prendre aucune initiative. Il suivait son père, travaillait mécaniquement. Le dimanche, il s'asseyait sur un banc à l'ombre et regardait voler les oiseaux, les yeux pleins d'un ennui animal.

Il se désintéressait de son fils, et pourtant Matthieu était un enfant difficile. Pauline avait beau lui flanquer de magistrales fessées, l'enfermer à la cave, rien n'y faisait. À l'école, Mme Pelletier ne cherchait plus à le faire travailler. Matthieu n'était pas bête, mais refusait la contrainte et dissipait la classe. Le curé Brissac, un homme d'autorité, disait que le garnement avait mauvais fond, que son âme était aussi laide que sa figure. Matthieu avait pourtant un don : il chantait merveilleusement bien. Il était capable de répéter un air entendu une seule fois et inventait des mélodies qui ravissaient tout le monde. Mais l'obstiné refusait toujours de chanter devant les gens, surtout à l'école ou à l'église. On ne pouvait l'entendre que lorsqu'il se croyait seul en train de garder les vaches, loin du hameau et des oreilles indiscrètes.

Les années passèrent. Pauline avait espéré que Matthieu grandirait en sagesse, mais le garçon restait toujours aussi dissipé et imprévisible. Il avait douze ans au printemps 1960 quand Marion arriva à Lachaud.

Sa vie allait en être bouleversée...

Une fois de plus, Matthieu avait volé, un vol pour rien, pour faire crier les grandes personnes. Il avait attendu, caché derrière le mur de la poste, qu'Adèle Chenet ait le dos tourné pour se glisser dans l'épicerie, prendre une pochette-surprise et s'en aller à toutes jambes. Adèle s'était mise à crier, et son mari, Lucien Chenet, le facteur, avait couru derrière le garnement qui lui avait échappé. Essoufflé, le préposé était revenu sur ses pas. C'était un petit homme très droit qui ne posait jamais son képi, même pendant son unique jour de congé, le dimanche. Il avait le nez long, les yeux profonds et une fine bouche qui ne riait jamais. Adèle était au contraire assez grosse, avec un beau visage rond de pomme, des yeux pleins de lumière. Lucien la retrouva devant le bistrot. Léon Dumaillet était sorti de son atelier, le béret blanc de poussière de bois.

– Sale Têtard ! dit-il, c'est qu'il court vite !

– Un petit voyou, voilà ce que c'est !

Matthieu s'était caché dans le parc du château, une vieille bâtisse dont les propriétaires vivaient à Paris et ne venaient que rarement. Le gardien, Paul Lemaître, se donnait des allures de châtelain. Il avait plusieurs fois tiré les oreilles de Matthieu qui lui chapardait ses noisettes. C'était un homme tout en hauteur, maigre, le visage rouge. Les gens ne l'aimaient pas à cause des airs qu'il se donnait. Il avait oublié ses jeunes années dans une métairie du haut de la commune et ne parlait pas à tout le monde.

Le parc du château était le domaine de Matthieu qui en connaissait tous les secrets. Après s'être assuré que personne ne l'avait poursuivi, le garçon s'arrêta sous un cyprès pour découvrir ce qui se trouvait à l'intérieur de la pochette-surprise, sorte de cornet en papier dans lequel se cachait un petit jouet. Il déchira la partie large, jeta le journal froissé qui la remplissait et trouva, au fond, une petite poupée rouge au visage grimaçant, aux cheveux raides. Il l'observa un moment et la fourra dans sa poche.

Au soleil, il vit que midi approchait et prit la route de Lachaud. Le hameau se trouvait à cinq cents mètres du village, sur les pentes douces de la colline. En arrivant, le garçon trouva, au bord de la route, Roux, son chien, seul être au monde qui lui montrât de l'affection. L'animal était si vieux qu'il marchait difficilement. Quand Matthieu était parti, Roux se traînait au bout de la cour, se couchait là et attendait. Le garçon caressa le chien qui lui lécha la main.

– Mon vieux Roux !

On ne savait plus quel âge il avait. Il était très maigre, les poils de son museau avaient blanchi et ses yeux larmoyaient continuellement.

– Si je te laissais faire, tu l'emmènerais dormir dans ton lit ! disait Pauline. Il pue !

– Non, il pue pas !

– Et puis, il est plein de vermine ! ajoutait Gustave qui marmonnait dans sa moustache blanche. Faudra penser à s'en débarrasser !

– Je veux pas qu'on le tue ! criait Matthieu en emmenant son chien hors de la maison.

– Et qu'est-ce que tu veux qu'on en fasse ?

Le garçon passait devant la maison de ses voisins, les Lagrange, quand une voiture noire arriva. Pauline était sur le pas de sa porte, Gustave et Armand sortirent de l'étable qu'ils étaient en train de nettoyer. Matthieu alla se cacher dans le chemin creux de la fontaine pour ne pas perdre un instant de ce qui allait se passer.

On en parlait depuis des jours de cette voiture noire qui venait de se garer devant la porte d'Honorine et Albert Lagrange. Les grandes personnes prenaient des airs entendus, avaient des haussements d'épaules résignés, des regards fatalistes. Pauline avait levé ses grosses mains au ciel et pensé à la mort de sa bru.

– La maladie n'oublie personne ! s'était-elle exclamée.

Armand s'était contenté d'opiner ; à son tour, Gustave avait pris un air affligé. Matthieu connaissait désormais l'histoire que, jusque-là, on évitait d'évoquer. Pierre Lagrange, à son retour du service militaire, avait épousé Bernadette Leroy, une fille du haut de la commune. Le jeune couple s'installa à Lachaud ; Pierre travaillait dans les deux propriétés, celle de son père et celle de son beau-père. La brouille vint sûrement de là, même si personne ne sut jamais ce qui s'était passé. Pierre et Bernadette partirent pour Brive et on ne les revit plus jamais. Leur fille, Marion, grandit en ignorant tout de ses grands-parents.

Il avait fallu un grand malheur pour les réconcilier, malheur dont on parlait à mots couverts, comme si de l'évoquer suffisait à l'attirer chez soi. La petite Marion était, en effet, atteinte d'une leucémie que les médecins ne savaient pas guérir.

Quand la voiture fut arrêtée devant l'escalier d'Honorine, les portières ne s'ouvrirent pas tout de suite. Les poules apeurées couraient en caquetant et battant des ailes. Honorine et Albert sortirent enfin de la maison et restèrent sur le perron. Albert était un petit homme maigre, au visage osseux, aux énormes mains de travailleur. Il avait gardé de son père l'ancienne habitude de s'entourer le ventre d'une large ceinture de flanelle grise qui lui donnait une curieuse silhouette. Il repoussa son béret, le visage animé de tics. Honorine se força à sourire.

Enfin, la portière avant s'ouvrit et Pierre sortit du véhicule. Il avait grossi, mais gardait toujours le même regard fixe sous ses épais sourcils noirs. Bernadette sortit à son tour, leva la tête vers ses beaux-parents, poussa une mèche de cheveux bruns sous son foulard, puis Marion se dressa à côté d'elle. La fillette était presque aussi grande que sa mère, mais maigre, le visage d'une pâleur de plâtre. Sa tête menue semblait prisonnière de l'énorme queue-de-cheval qui tombait sur son dos.

Matthieu retint sa respiration. Le cœur battant fort, un curieux sentiment l'envahissait, le submergeait. Il était tout à coup écrasé, dominé par une douleur oppressante qui venait du fond de lui-même. Lui qui ne pleurait jamais sentit des larmes noyer ses yeux :

la maladie de cette fillette le touchait d'une manière qu'il n'aurait su exprimer et qui le laissait sans forces.

Marion portait une robe blanc et rose. Ses joues de porcelaine faisaient ressortir des yeux gris dont Matthieu remarqua la douceur, la résignation, un regard d'adulte désabusé. Son épaisse queue-de-cheval était pleine d'ondulations lumineuses. Rien de sa silhouette n'étonnait Matthieu ; ayant beaucoup entendu parler d'elle par sa grand-mère, il l'avait imaginée ainsi dans ses moments de tristesse où il s'inventait une amie. Il porta machinalement la main droite à sa poche. Ses doigts se fermèrent sur la ridicule poupée rouge volée.

– Hé ! bien le bonjour ! dit enfin Honorine, rompant ainsi de longues minutes de silence.

Ce fut le signal. Pierre monta les marches et embrassa sa mère et son père, comme si rien ne s'était passé entre eux. Bernadette fit de même, enfin tout le monde se tourna vers Marion restée au bas de l'escalier.

– Marion, viens embrasser tes grands-parents ! dit Bernadette.

Honorine prit la fillette dans ses bras et la serra très fort. Des larmes roulaient sur ses joues. Albert l'embrassa machinalement, mais son regard était plein de tristesse.

– Entrez donc ! dit-il en tendant la main vers la porte.

Tout le monde disparut dans la maison. Il ne restait de l'événement que la voiture noire qui brillait au soleil et d'où était sortie Marion, telle une apparition. Matthieu ne pouvait penser à autre chose. Il alla chez lui, oublia de caresser le vieux Roux et s'assit à table sans un mot.

– Tu en fais une tête, constata Pauline. Tu prépares quelque bêtise ?

Il ne répondit pas, plein de la pensée de Marion. À la fin du déjeuner, il retourna à son observatoire, sans entendre sa grand-mère qui voulait l'envoyer garder les vaches. Il était bien décidé à rester là tout l'après-midi dans l'espoir d'apercevoir la petite fille. Il n'eut pas longtemps à attendre.

– Marion, où vas-tu ? s'exclama Honorine. Tu vas attraper froid !

– Mais non, laissez-la sortir si elle veut ! reprit Bernadette. Le docteur pense que l'air d'ici lui fera plus de bien que tout le reste. Et puis, il fait bon.

La fillette descendit l'escalier et regarda autour d'elle, découvrant le hameau et ses vieux bâtiments. Elle hésita un instant, puis se dirigea en sautillant vers le chemin creux de la fontaine. Elle cueillit des pâquerettes sur le talus et aperçut Matthieu qu'elle dévisagea un instant. Le garçon qui se sentit rougir baissa la tête, honteux de ses grandes oreilles, de sa tête ronde, de ses gros yeux.

– Bonjour ! dit-il enfin. Je suis de la maison voisine.

Il avait l'impression que ce n'était pas lui qui avait parlé, que sa voix était venue de l'extérieur de son corps. Marion éclata de rire, un rire gai et moqueur qui fit mal à Matthieu.

– Tu as une drôle de tête et de très grandes oreilles ! C'est toi qu'on appelle le Têtard ?

Une boule de douleur comprimait la poitrine de Matthieu. Il n'était pas malade, lui, mais sa laideur le mettait quand même à part des autres. Il était celui dont on se moquait tout le temps, alors il avait envie de frapper, de mordre, de dire les pires grossièretés.

– Mes grands-parents ont parlé de toi, à table. Ils ont dit que tu étais un mauvais garçon ! Mais vraiment, j'ai jamais vu quelqu'un avec d'aussi grandes oreilles !

Maudites oreilles ! Il avait essayé de les coller contre sa tête avec de la colle à bois volée dans l'atelier de Dumaillet : la colle n'était pas assez forte. Il aurait voulu les couper, mais sans oreilles il aurait été plus laid encore qu'avec ses deux feuilles de chou qui rougissaient pour un regard, pour une pensée, souvent pour rien. Jamais il ne serait comme les autres, jamais il ne pourrait être regardé avec plaisir. D'ailleurs, les autres ne voyaient que ses défauts. Seul Roux passait affectueusement sa langue chaude sur sa joue !

– Je m'appelle Matthieu ! dit-il enfin.

– Je sais. Et ta mère est morte.

Elle s'amusait de son désarroi. Celui qu'on lui avait présenté comme le pire des garnements, le voyou, le voleur, l'indiscipliné qui n'apprenait rien à l'école, était là devant elle, les bras ballants, vaincu.

– Moi, je m'appelle Marion ! dit la fillette en sautant d'un caillou à l'autre. J'habite à Brive, mais la ville est mauvaise pour ma santé, c'est pourquoi je vais rester ici, chez ma grand-mère.

– Je le sais aussi ! fit Matthieu.

Il baissait la tête, car le regard de Marion était toujours fixé sur ses oreilles.

– Ma grand-mère m'a dit que je ne devais jamais venir avec toi, que tu étais le diable.

– Alors, pourquoi tu es là ?

– Parce que j'aime bien faire ce qu'on m'interdit.

Une grenouille se mit à coasser dans la mare, puis toutes les autres en même temps. Un tintamarre assourdissant dura quelques instants et les batraciens se turent. Marion semblait ne pas les avoir entendus.

– Je suis malade ! dit-elle tout à coup, grave. Une maladie qui s'appelle la leucémie. C'est un cancer, comme celui de ta maman. Je vais peut-être mourir ! Mes parents me l'ont pas dit, mais je le sais, j'ai entendu le docteur qui en parlait avec une infirmière.

Elle semblait fière de cette mort prochaine, comme si la maladie la rendait supérieure aux autres, enviable. Matthieu demanda :

– Et tu vas rester longtemps ici ? Tu iras à l'école à Peyrolles ?

– On sait pas ! Peut-être plus d'un an ! Oui, j'irai à l'école. Je suis au cours moyen, et toi ?

Il haussa les épaules. Il n'était d'aucun cours. Mme Pelletier l'avait mis dans un coin et ne s'occupait pas de lui. Il travaillait s'il voulait ; la plupart du temps, il regardait le ciel et les nuages par la fenêtre et rêvait à de lointains pays qu'il ne connaîtrait jamais.

– J'aime pas l'école ! dit-il.

Honorine appela Marion de sa voix aiguë. La fillette s'éloigna dans le chemin en trébuchant sur les cailloux libres. Sa queue-de-cheval sautait sur son dos, démesurée pour ses épaules étroites. Matthieu rentra chez lui, prit son bâton qu'il avait lui-même sculpté avec la pointe de son couteau et partit à l'étable où son père détachait les vaches.

– Et, surtout, tâche de ne pas en perdre la moitié ! lui cria Pauline qui apportait du grain aux poules.

Garder le troupeau n'était pas une tâche bien compliquée. Les vaches ne sortaient que rarement du pré, ce qui laissait à Matthieu de longues heures de solitude pendant lesquelles il oubliait ses grandes oreilles, sa tête ronde et chantait des mélodies qui lui passaient par la tête. Dans les champs voisins, les gens posaient l'outil pour l'écouter et se demandaient par quel miracle ce garnement avait un rossignol dans la gorge.

Ce soir, il pensait à Marion qui allait rester à Lachaud. L'image de la petite fille malade se mêlait en lui à celle de sa mère, figée sur le papier glacé de quelques photos que Pauline gardait dans l'armoire de sa chambre.

Le lendemain, vers huit heures, deux fillettes vêtues d'une blouse bleue et portant un cartable vinrent frapper à la porte d'Honorine. L'une brune, l'autre un peu rousse, elles avaient la retenue de deux élèves appliquées. Honorine leur sourit :

– Isabelle et Juliette ! Comme vous êtes gentilles ! Marion, viens vite, tes nouvelles copines sont venues te chercher !

– C'est la maîtresse qui nous a demandé de nous occuper d'elle ! fit Isabelle. Marion sera très bien à l'école !

Marion arriva de sa chambre. Elle était du même âge que les deux autres, mais plus fluette, plus maigre et surtout son visage d'enfant malade tranchait sur les belles joues rouges d'Isabelle et de Juliette. Marquée par un destin tragique qui la vieillissait, son sourire avait quelque chose de désabusé, un fatalisme qui imprégnait tout son être.

Dans la maison voisine, Matthieu s'était levé à l'appel bref de sa grand-mère. Il avait mal dormi, des cauchemars l'avaient réveillé, le dos en sueur, terrorisé dans l'ombre de sa chambre.

– Dépêche-toi ! cria la grand-mère. Je me demande pourquoi on t'envoie à l'école, pour ce que tu y fais !

De telles remarques ne blessaient pas Matthieu qui en avait l'habitude. Il ne supportait pas la contrainte et n'avait qu'une hâte, que le temps passe le plus vite possible, qu'il soit assez grand pour ne plus obéir à personne.

Ce matin, il était lourd de la pensée de Marion, différent des autres matins. Il s'habilla rapidement et commença par aller dire bonjour à Roux. Depuis qu'il perdait ses poils et qu'il sentait mauvais, l'animal n'avait plus le droit d'entrer dans la maison et passait la nuit enfermé dans l'appentis à côté de la grange. Matthieu s'était ingénié à trouver de vieilles couvertures sur lesquelles le chien se couchait. Sa présence gardait le poulailler du renard.

– Il faudra quand même qu'on t'emmène couper les cheveux ! constata Pauline. Tu ressembles à un bohémien !

Le coiffeur ! Une torture ! Matthieu aimait les cheveux longs qui augmentaient certes la rondeur de sa tête, mais cachaient, dans leur épaisseur, la démesure de ses oreilles. Aussi fallait-il le conduire de force chez Martin, le coiffeur, qui ne lui laissait jamais plus de deux centimètres de cheveux sur le crâne.

Matthieu avala son bol de lait, mangea un morceau de pain, prit son sac.

– Et attention de pas faire l'école buissonnière ! cria la grand-mère. Tu sais que le facteur me le dira !

Matthieu sortit sans un mot. L'air frais du matin le réveillait et lui donnait une sensation de liberté. Le soleil s'était levé sur une campagne pleine de chants d'oiseaux. Un léger vent animait les grandes herbes du fossé.

Tout en marchant, le garçon pensait au père Flamant, un homme à la belle barbe blanche et au regard perçant de renard. Roger Flamant vivait dans une roulotte au milieu des bois. Les grandes personnes disaient que c'était un original et se méfiaient de lui. Pas Matthieu, qui lui rendait visite chaque fois qu'il avait le courage de traverser seul la forêt. Généralement, la peur l'emportait : il s'arrêtait à la vieille scierie, regardait le sentier qui s'enfonçait entre les grands arbres et rebroussait chemin en se disant qu'il était un peureux.

Il passa devant la maison d'Honorine et vit Isabelle et Juliette qui s'apprêtaient à partir en donnant la main à Marion. Isabelle Chenet, la fille du facteur, et Juliette Dumaillet, celle du menuisier de Peyrolles, étaient souvent citées en exemple par Mme Pelletier. Ce matin, elles prenaient au sérieux leur rôle d'assistantes de malade, aussi parlaient-elles avec hauteur.

– Tiens, Matthieu ! dit Marion en souriant.

– On l'appelle le Têtard ! fit Isabelle. Personne ne veut rester avec lui.

– Les deux pimbêches sont venues jusque-là ! s'exclama Matthieu. Une oie et une pintade ! Et ça piaille, et ça jacasse !

Marion éclata de rire. Isabelle s'emporta :

– Le Têtard, retourne dans ta mare et laisse-nous !

Juliette souffla à l'oreille de Marion :

– C'est le plus mauvais élève de l'école ! Il ne fait que des bêtises, il vole, et même que ma grand-mère dit qu'il ira en prison !

– Paraît qu'il chante bien ! remarqua Marion.

– Ça dépend des goûts. Et puis, quand il chante, ses oreilles remuent !

Matthieu partit devant les filles sans relever leurs nouvelles attaques. Devant le portail, les élèves s'étaient rassemblés. Le grand Morin dépassait les autres d'une tête. Il avait une voix d'homme et quelques poils de barbe au menton. Recalé au certificat d'études, il redoublait. C'était un bon garçon qui protégeait volontiers les petits. Marc Martin, le fils du coiffeur, racontait comment son père avait pris une truite d'un kilo. Il était beau avec ses yeux aux longs cils, ses cheveux souples qui ondulaient. C'était le préféré des filles et de Mme Pelletier qui ne le grondait jamais. Olivier Bonnin et sa sœur Émilie, les enfants du maire, se distinguaient par leurs vêtements, veste et pantalon de velours bleu pour Olivier, jupe écossaise, chemisier blanc à fleurs rouges pour Émilie. Parfois, le maire en personne les conduisait en voiture, ce qui les distinguait des paysans ordinaires.

Mme Pelletier avait si bien préparé ses élèves à l'arrivée de Marion que la fillette était attendue avec impatience et curiosité. Elle fut très vite entourée d'une trentaine de petits campagnards qui cherchaient sur son visage les détails montrant sa grave maladie. Ils s'attendaient à découvrir de monstrueuses anomalies et furent déçus : Marion était pâle et amaigrie, mais en tous points semblable aux autres !

Mme Pelletier arriva, souhaita la bienvenue à la fillette qu'elle embrassa sur les deux joues, puis les enfants se mirent en rangs, les garçons d'un côté, les filles de l'autre. Matthieu était le dernier, c'était sa place, celle où ses nombreuses frasques l'avaient placé. Il venait à l'école parce que c'était obligatoire, mais tout le monde savait qu'il perdait son temps.

– C'est pas qu'il est bête ! disait Mme Pelletier au facteur qui apportait le courrier tous les matins. Il serait même assez vif d'esprit, mais il ne veut rien faire !

Marion fut placée à une table près du bureau, à côté du beau Marc Martin qui lui adressait des petits sourires complices. Mme Pelletier s'occupa beaucoup d'elle, regarda ses cahiers rapportés de Brive et lui fit faire des exercices à part des autres pour évaluer son niveau.

À la récréation, Marion suivit ses nouvelles camarades qui cherchaient à la distraire. Dans la cour des garçons, Matthieu se battait, une fois de plus. Seul le grand Morin ne se mêlait pas aux jeux : il profitait de ce court instant de détente pour bêcher le jardin de Mme Pelletier.

Au moment de rentrer en classe, il y eut une bousculade. Tout à coup, Marc Martin poussa un cri terrible qui surprit tout le monde. Le gamin, blême, tremblait et n'osait pas faire un mouvement. Il regardait devant lui, tétanisé.

– C'est encore le Têtard ! dit Émilie Bonnin. Je l'ai vu mettre quelque chose dans le cou de Marc.

Les élèves regagnèrent leur place. Matthieu, la tête sur son cahier, s'appliquait à recopier le texte de la dictée qu'il n'avait pas faite avec les autres car il était incapable d'écrire un seul mot sans faute, mais, après l'épreuve, la maîtresse lui avait prêté son livre.

– Je l'ai vu aussi ! dit Isabelle Chenet, il avait une souris dans sa main.

Le beau Marc était près de s'évanouir. Mme Pelletier le secoua. Il poussa un nouveau cri de terreur quand la souris s'échappa de ses vêtements et se mit à courir dans la classe. Matthieu riait, fier de cette farce qui attirait sur lui le regard gris de Marion, et la fillette aussi riait.

Quand la souris eut disparu dans un trou du plancher, Mme Pelletier, le regard sévère, la baguette à la main, s'approcha du coupable.

– Où as-tu trouvé cette souris ?

Matthieu baissait la tête. Ses grandes oreilles étaient rouges. Un coup de baguette fit un bruit sec sur ses cheveux raides. Il ne broncha pas. Pas un mouvement de cils ne marqua sa douleur. C'était ainsi chaque fois que Mme Pelletier le frappait : Matthieu, contrairement aux autres enfants, ne pleurait jamais, ce qui exaspérait tout le monde.

À midi, les enfants rentraient chez eux pour le déjeuner. Marc Martin n'avait pas accepté son ridicule et s'était assuré le concours de ses amis pour faire payer le Têtard. Ils l'attendirent au portail et se jetèrent sur lui pour le rouer de coups, mais Matthieu savait se défendre. Les boutons volaient, les blouses craquaient. Matthieu réussit enfin à s'échapper et partit chez lui à toutes jambes.

L'après-midi, il ne vint pas à l'école. Il devait flâner quelque part dans le parc du château. La maîtresse avait l'habitude de ses absences et laissait faire : pendant ce temps, il n'empêchait pas les autres de travailler !

Le soir, Isabelle et Juliette accompagnèrent Marion à Lachaud. La petite malade était fatiguée de cette journée dans une classe nouvelle, cependant elle mangea avec appétit et sa grand-mère en fut heureuse.

Il faisait très doux ; les cerisiers en fleur blanchissaient les collines, le coucou chantait. Après avoir fait son travail, Marion sortit se promener autour de la maison. Matthieu l'attendait, dissimulé derrière le grand lilas, près du chemin de la fontaine.

– Ah, c'est toi ! dit-elle en se dirigeant vers la mare.

Matthieu marchait derrière, aussi silencieux qu'un chat.

– Qu'est-ce que tu as dans ta poche ? un lézard ? un serpent ? Qu'est-ce que tu veux me mettre dans le cou ?

– Rien, Marion. Rien, je te jure que je te mettrai jamais rien dans le cou.

– Toi, jurer quelque chose ! Ce pauvre Marc a failli s'évanouir de peur.

– C'est une poule mouillée qui n'est jamais sorti des jupes de sa mère.

Elle eut un petit sourire, comme si elle était de son avis.

– Viens, je vais te montrer quelque chose.

– Qu'est-ce que tu veux me montrer ? Ma grand-mère ne veut pas que je reste avec toi.

Elle le suivit pourtant, en proie à un curieux sentiment. Près de lui, elle avait l'impression que la maladie se réveillait dans son petit corps, comme si Matthieu avait le pouvoir de l'activer, et pourtant il l'attirait, tel l'oiseau hypnotisé par le serpent.

Ils arrivèrent à la mare. Des grenouilles sautaient partout dans l'eau avec des bruits de caillou. Matthieu fit signe à Marion de marcher lentement. Il tendit la main entre les roseaux.

– Regarde... C'est une poule d'eau qui couve... Tu la vois ?

La fillette écarquillait les yeux, si proche de Matthieu qu'il sentait le léger parfum de ses cheveux. Elle finit par voir le bec clair de l'oiseau, puis son œil rond cerclé de rouge qui la regardait.

– Ouais... Elle est belle ! Comment tu l'as trouvée ?

– J'aime les animaux, alors je les cherche, mais pas pour les tuer, pour les voir seulement.

Marion jeta un regard curieux à Matthieu. Ce soir, il n'avait pas le même visage qu'à l'école et elle le trouvait moins laid.

– Pourquoi tu ne veux pas travailler à l'école ?

Il haussa les épaules : il aurait voulu vivre seul, libre de ses mouvements comme un oiseau et chanter quand l'envie lui venait.

– Allez, viens ! dit-il en se dirigeant vers le bout de la mare.

Les grenouilles qui coassaient s'arrêtèrent à l'approche des enfants.

– Le docteur a dit que je dois pas me fatiguer. Il faut que je rentre.

– Attends.

Matthieu sortit de sa poche une poignée de bonbons contenus dans du papier blanc.

– Qu'est-ce que c'est ?

– C'est pour toi, prends-les !

Marion fronça les sourcils et prit un air amusé.

– Tu les as volés ?

Matthieu baissa la tête. Ses grandes oreilles étaient rouges.

– Prends-les, je te dis !

– Réponds-moi, tu les as volés ?

Elle lui souriait avec un regard complice.

– À l'épicerie. Ma grand-mère m'a demandé d'aller lui chercher un paquet de vermicelle. J'ai payé la surprise que j'ai volée hier matin, j'ai demandé pardon à l'Adèle Chenet qui faisait les gros yeux, et puis j'en ai profité pour lui prendre une poignée de bonbons ! Elle n'a rien vu !

– Toi, alors ! Tu dis que tu as volé une surprise hier ? Qu'est-ce qu'il y avait dedans ?

Matthieu sortit la petite poupée rouge qu'il trouvait toujours aussi ridicule.

– Ça valait pas le coup. Je comprends pas qu'ils mettent des choses aussi idiotes dans leurs surprises. J'en volerai plus !

Marion prit la poupée dans ses doigts, l'examina un instant.

– Moi, je la trouve marrante !

– Alors, je te la donne !

La petite fille enfonça la poupée dans la poche de sa blouse. Tout à coup, son regard se voila, ses lèvres pâlirent, elle chancela.

– Marion, qu'est-ce qui t'arrive ?

Elle eut juste le temps de s'appuyer contre Matthieu. Un filet de bave coulait de ses lèvres.

– C'est rien !

Elle inspira profondément.

– Ça m'arrive de temps en temps.

– Mange un bonbon, ça te fera du bien.

Sans rien dire, la petite fille déplia un bonbon et le porta à sa bouche, le mâcha un instant.

– Tu as raison, ça me fait du bien.

– Mange-les tous, j'en trouverai d'autres !

Marion déplia un deuxième bonbon, puis s'en alla d'un pas mal assuré.

– Faut que je rentre, ma grand-mère se ferait du souci.

– Mais qu'est-ce que tu as dans la tête pour nous faire autant de déshonneur ?

Pauline marchait de long en large près de la table de la cuisine. Une mèche s'était échappée des peignes qui retenaient ses cheveux blancs rassemblés en une sorte de chignon plat. Par moments, elle jetait un coup d'œil au chaudron qui fumait sur le feu. Les mains sur les hanches, elle s'approcha de Matthieu, assis à sa place, sous le volumineux poste de radio posé sur une étagère.

– Qu'est-ce qui t'a pris de te battre comme un chiffonnier ? Ta blouse déchirée, ta chemise et le beau pantalon neuf avec un accroc. Tu crois que l'argent se gagne sans rien faire ?

Matthieu, la tête basse, avait reçu une paire de gifles sans broncher. Son père était en face de lui, son grand-père se tenait debout près de la porte fermée. Quand Pauline parlait, les hommes écoutaient, c'était ainsi dans cette maison.

Une nouvelle gifle souleva les cheveux raides de l'enfant qui ne broncha toujours pas.

– Et ce pauvre petit Olivier à qui tu as déchiré sa belle veste ! Si son père nous la fait payer, faudra bien qu'on trouve l'argent quelque part !

Une autre gifle claqua. Armand ferma les yeux, comme si la main de sa mère s'était abattue sur sa joue. Il était piteux, la tête trop grosse sur un cou étroit. Matthieu le regardait furtivement ; non, il n'aimait pas son père : rien en lui ne forçait l'admiration. Pourquoi se taisait-il devant Pauline ?

– Non content de ne rien faire à l'école, il faut en plus que tu te battes !

En effet, Matthieu s'était battu et ne le regrettait pas. Olivier et Émilie Bonnin avaient invité Marion chez eux, dans leur superbe maison en retrait du bourg. Marion en était revenue émerveillée par les beaux tableaux qu'elle avait vus, par la gentillesse de M. le maire. Olivier avait joué du piano et Marion n'avait jamais entendu plus belle musique !

– Qu'est-ce qu'il t'a fait pour que tu déchires sa veste écossaise ? insista Pauline.

Tout à coup, Matthieu se détendit comme un ressort, évita le bras de sa grand-mère, bouscula Gustave, ouvrit précipitamment la porte et fila. La nuit tombait. En bas du hameau, Albert Lagrange ramenait ses vaches du pré et marmonnait entre ses dents. Une chouette hululait. La voix claire et pointue de Matthieu perça alors le calme de ce paisible soir de printemps :

– Je vous déteste ! Je voudrais que vous creviez tous !

Honorine, qui allait à son étable, se signa. Était-ce possible d'entendre cela dans la bouche d'un enfant ? Honorine n'aimait pas ses voisins, surtout Pauline, mais ne pouvait s'empêcher de les plaindre. Elle se signa une deuxième fois et serra la main de Marion qui l'accompagnait.

– J'espère que tu n'écoutes pas ses bêtises !

Marion ne répondit pas. Le cri perçant de Matthieu résonnait encore en elle, comme une lame qui tranchait sa chair. Sa révolte trouvait en elle un écho profond, jusque-là ignoré.

– C'est bien malheureux ! insista Honorine.

Pauline était sortie devant la porte et proférait ses menaces à la nuit légère comme un tissu de soie :

– Attends que je t'attrape ! Tu vas voir ce que tu vas ramasser !

– M'en fous ! Je reviendrai plus jamais ! Je vais m'en aller très loin, de l'autre côté de la mer et vous me verrez plus !

Matthieu marchait dans le chemin qui conduisait à la rivière au fond de la vallée très encaissée. Sur les pentes, les vieux châtaigniers se découpaient sous le ciel encore clair. Il entendait des bruits curieux, frôlements, craquements de branches. Le cri d'un hibou le fit sursauter. À mesure que sa colère s'apaisait, la peur grandissait en lui, liquéfiait son ventre. Il tournait vers les taillis un regard blanc : on avait beau dire que les fantômes n'existaient pas, personne n'en savait rien ! Il s'arrêta, buttant contre le mur de l'ombre.

La lune se levait au-dessus des collines sombres. Matthieu tremblait. Où aller ? Il pensa se réfugier dans la grange, mais là aussi, il avait peur. Il eut un instant l'envie de rejoindre Roger Flamant dans sa roulotte et de rester avec lui jusqu'au lendemain : le courage lui manquait pour traverser la forêt par le sentier en bas de la scierie.

La nuit le chassait ; il préférait affronter sa grand-mère que l'ombre menaçante. Pauline criait fort ; elle aimait commander, bousculait Armand et Gustave par excès d'énergie, mais avait bon cœur. C'était un homme en jupons qui savait que Matthieu devait être puni dans son intérêt et elle se forçait à la fermeté.

En ouvrant la porte, Matthieu vit en premier sa grand-mère qui apportait la soupière fumante, puis son grand-père assis à table et, enfin, son père qui leva vers lui son regard vide. Pauline posa la soupière et tourna vers Matthieu sa large figure rouge, les poings sur les hanches.

– Te voilà ! La faim fait sortir le loup du bois !

Matthieu regardait en effet la soupe. Son estomac gargouillait. La sentence de Pauline tomba :

– Au lit, sans manger !

– Non !

– C'est ce qu'on va voir. File dans ta chambre...

Matthieu n'insista pas et passa dans sa chambre. Il avait faim et se coucha pour dormir au plus vite et ne penser à rien. Dans la cuisine, Pauline se fâchait et s'en prenait une fois de plus à Armand qui ne s'occupait pas de Matthieu.

– Il faut que je fasse tout ici ! Que je le punisse, alors que c'est à toi de le faire !

Armand recevait la semonce et se taisait. Parfois, il tentait de se défendre, mais ne trouvait pas les mots :

– Qu'est-ce que tu veux que je fasse ? Tu crois que j'ai pas eu mes malheurs, moi aussi !

– Peut-être, mais c'est pas une raison ! Tu crois aussi que ça me plaît de me gendarmer ?

Armand se réfugiait toujours derrière la mort de sa femme pour justifier son désintéressement de tout. Depuis qu'il était veuf, il ne disait pas dix paroles par jour. Il était absent, prisonnier d'une pensée lourde qu'il n'exprimait pas.

Gustave mastiquait son pain et son fromage avec un calme de bovin. Il se versa un verre de vin et le vida d'un trait. C'était un homme posé, que l'on disait sensé. Ses avis étaient brefs, mais toujours écoutés, même de Pauline qui le savait moins emporté, moins enclin qu'elle à se laisser dominer par ses sentiments.

– Et si on le mettait en pension chez les jésuites, à Brive ? proposa-t-il tout à coup.

– En pension ? s'étonna Pauline, surprise. Mais tu n'y penses pas. On met en pension des bons élèves et c'est le plus mauvais de toute l'école de Peyrolles.

Gustave non plus n'était pas bavard. Il avait parlé et se remit à mâcher en regardant son assiette. Il pensait à ses vaches, à sa propriété qu'il avait de plus en plus de difficultés à travailler. Ses jambes lui faisaient mal dès qu'il forçait un peu. Il sentait venir l'âge avec appréhension, car Armand, qui avait tendance à aimer le vin, n'était pas capable de se débrouiller seul.

Les heures passaient. Matthieu n'arrivait pas à s'endormir : son estomac lui faisait trop mal. Dans la cuisine, sa grand-mère faisait la vaisselle ; le grand-père devait somnoler sur son journal et Armand, près de la cheminée, se brûlait le visage aux flammes qu'il attisait. Matthieu eut la tentation de se lever, puis renonça pour ne pas reconnaître qu'il avait tort, car il ne regrettait pas d'avoir déchiré la belle veste d'Olivier Bonnin.

La porte d'une chambre grinça. Le pas lourd de Gustave fit craquer le plancher ; Armand toussa et le silence tomba sur la maison. Pauline devait être restée dans la cuisine car elle se couchait toujours la dernière. Enfin, elle poussa sa chaise, fit quelques pas et s'arrêta près de la porte de Matthieu. Le garçon comprit qu'elle hésitait. Puis la porte s'ouvrit ; la lumière du couloir donna forme à l'armoire.

– Tiens ! dit Pauline en posant sur le bord du lit un morceau de pain et du chocolat.

Elle sortit vivement, consciente de sa faiblesse.

À Peyrolles, l'arrivée de Marion ne laissait personne indifférent. Pauline évoquait la misère humaine, le peu de chose qu'était la vie. Elle n'aimait pas les Lagrange, mais ils ne méritaient pas une telle punition. Elle en tirait une conclusion métaphysique qu'elle traduisait par une seule question :

– On se demande ce que fait le bon Dieu !

Et, comme elle ramenait tout à sa personne, elle ajoutait :

– Et s'il n'y avait que ça ! Le malheur n'oublie personne et m'a trop bien servie !

Puis elle en profitait pour faire la leçon à Matthieu :

– Tu te rends compte de ta chance ! Cette pauvre petite qui est gravement malade !

Matthieu caressait son chien. Roux se traînait difficilement dans la cour, se couchait au soleil et tirait la langue, épuisé. Il sentait de plus en plus mauvais ; par endroits, sa peau sans pelage était hérissée d'une barbe courte et de gros boutons purulents.

– Pauvre bête ! dit Pauline, sa vie lui pèse autant qu'une charrette de foin sur le dos.

Cette phrase toucha Matthieu. La vie pouvait-elle peser ? Roux souffrait-il au point de souhaiter un repos infini, le noir du sommeil ? Non, son chien voulait vivre parce que la vie était la seule chose à laquelle les animaux se rattachaient. Il pensa aux grenouilles qu'il capturait dans la mare et qu'il amputait de leurs pattes arrière : ainsi mutilées les petites bêtes voulaient retourner à la mare et échapper à leur bourreau. Et cette souris que le chat avait broyée entre ses mâchoires et qui tentait, malgré tout, de s'en aller...

– Je veux pas qu'on tue mon chien !

– Tu crois qu'il a encore du plaisir à vivre ?

Du plaisir à vivre ! Roux le regardait de ses yeux pleins de larmes. Marcher lui demandait un effort considérable ; il n'avait parfois pas la force de se pencher sur sa gamelle pour manger.

Le garçon s'éloigna en direction de la fontaine. Il aimait ce lieu humide, en retrait des maisons, plein d'odeurs d'herbes grasses. Il guettait les grenouilles dans la mare, surprenait parfois une grosse couleuvre qui s'éloignait vivement.

– N'oublie pas que tu vas garder les vaches ! cria Pauline.

– Oui, oui !

Matthieu était déjà loin. Il pensait à son chien qui n'avait guère qu'un an ou deux de plus que lui et c'était déjà un vieillard. Pourquoi Dieu, s'il était si bon que le disait le curé, ne laissait-il pas vivre les chiens aussi longtemps que les hommes ? Qu'est-ce que ça pouvait lui faire, à lui qui avait l'éternité, de donner à tous les êtres vivants un siècle de vie ou plus ?

– À quoi tu penses ?

Il se tourna vivement. Marion était là, dans sa petite robe jaune, d'une couleur qui rappelait l'éclat des fleurs de pissenlit. Elle avait dénoué ses cheveux qui tombaient sur ses épaules en masse épaisse et cela changeait son visage qui était plus étroit, plus grave aussi.

– Je suis triste !

Elle le regarda curieusement, cueillit une marguerite dont elle arracha les pétales un à un. Il faisait beau et chaud ; des odeurs de fleurs sauvages chatouillaient les narines.

– Mon chien est très vieux et pourtant il n'a que deux ans de plus que moi !

Marion baissa la tête ; ses cheveux roulèrent devant sa figure, elle les repoussa d'un geste rapide.

– Il va mourir ? demanda-t-elle.

– Ma grand-mère dit que sa vie lui pèse comme une charrette de foin posée sur son dos.

Marion baissait toujours la tête. Une larme roula sur sa joue. Elle leva ses yeux mouillés vers Matthieu.

– Moi, la vie me pèse pas et pourtant je vais mourir aussi.

Matthieu ne sut quelle attitude adopter : il parlait de son chien et Marion lui rappelait son mal.

– Non, tu ne mourras pas ! dit-il entre ses dents.

– Ma mère dit comme toi. Moi, j'ai entendu le docteur : il a dit que j'avais peu de chance de m'en sortir.

Matthieu regrettait maintenant d'avoir parlé de Roux. Il imagina Marion étendue sur un lit, les yeux fermés, comme son arrière-grand-mère qui mourut l'été dernier. Il avait pensé qu'elle était partie ailleurs, laissant son vieux corps plein de douleurs. Peut-être que son chien renaîtrait aussi après sa mort, qu'il reviendrait, minuscule chiot, pour recommencer une nouvelle existence !

– Je te dis que tu ne mourras pas !

Marion regarda attentivement Matthieu, puis s'assit au bord de la pierre plate sur laquelle les femmes tapaient le linge avant de le tremper dans la mare. Ce matin, elle l'avait entendu chanter alors qu'il gardait les vaches près de la rivière. Elle en était encore bouleversée et se demandait comment cet insoumis, ce voleur pouvait avoir une aussi belle voix ?

– Tu voudras qu'on aille voir le père Flamant ? demanda-t-il.

– Tu veux dire le fou qui vit dans une roulotte ?

– Mon copain ! dit fièrement Matthieu. Un ancien soldat qui connaît les noms de tous les pays et qui raconte des histoires...

Il pensa à sa peur panique pour traverser la forêt et mentit :

– Je vais le voir souvent ! Lui et moi, on discute. Il est plus savant que Mme Pelletier.

Marion réfléchit un instant. Ses cheveux semblaient trop lourds pour son corps maigre d'enfant malade.

– Ma grand-mère m'en a parlé. Elle m'a dit que c'était un original et de m'en méfier.

– Il n'aime pas les gens. Il vient au village une fois par mois pour prendre l'argent de sa pension et repart dans sa roulotte.

– Comment tu sais qu'il prend l'argent de sa pension ?

– C'est lui qui me l'a dit.

Honorine appelait Marion de sa voix bêlante. La grand-mère ne pouvait rester plus d'un quart d'heure sans la voir, tant elle redoutait qu'une crise la surprenne brutalement. Chaque dimanche à la messe, elle ne cessait d'invoquer la clémence de Dieu, elle offrait sa propre vie pour sauver celle de Marion. Mais Dieu restait sourd, l'état de Marion ne s'améliorait pas. Le bon air des collines n'avait redonné aucune couleur à ses joues creuses.

– Faut que j'y aille ! dit Marion.

– Je vais aller garder les vaches au pré du bas. Si tu peux...

– J'essayerai ! fit la fillette en sortant de sa poche la petite poupée rouge.

– Tu l'as gardée? Elle est aussi laide que le diable ! J'aurais pas dû te la donner.

– C'est vrai qu'elle ressemble au diable !

Marion s'éloigna de sa démarche lente; elle ne pouvait courir plus de dix pas sans s'essouffler. Matthieu remonta à son tour, caressa son chien qui était toujours couché en plein soleil.

– Toi, tu iras sûrement au paradis. Pas un homme ne le mérite autant que toi ! Tu n'as jamais volé de poule, jamais pillé un nid. Je sais, quand tu avais de bonnes jambes, tu aimais courir après les lapins et tu en mangeais quelques-uns ! C'est pas grave, mon vieux Roux !

Les flancs de l'animal battaient rapidement. Il tirait une langue molle qui pendait de ses babines mouillées de glaires.

Matthieu, redoutant que Pauline lui trouve quelque corvée, partit en courant vers la scierie et s'arrêta près de l'antique machine à vapeur qui rouillait entre les ronces à côté d'un énorme tas de sciure envahi d'orties. La rumeur de la forêt lui arrivait avec ses bruits insignifiants, ses cris étouffés, ses menaces. Le cœur battant, il retint sa respiration. Pour aller jusqu'à la roulotte de Flamant, il fallait descendre dans le sentier entre les hautes haies de ronces, passer sous le chêne du pendu, sauter par-dessus le petit ruisseau qui gargouillait entre les grandes herbes, remonter sur l'autre versant jusqu'à la clairière. Moins de dix minutes en courant à toutes jambes, mais plus Matthieu courait vite, plus il lui semblait que les revenants se jetaient à ses trousses. Il avait surtout peur de passer sous le chêne en bas de la pente. À une branche de cet arbre monstrueux, un chercheur de champignons avait trouvé, pendu, Baptistin, un pauvre bougre qui n'avait pas toute sa tête.

Matthieu hésitait encore. Le Têtard qui ne redoutait pas les coups, qui semblait capable de toutes les audaces, avait ainsi des peurs stupides qui le paralysaient. Il retint une nouvelle fois sa respiration. Pourrait-il courir jusqu'à la roulotte sans reprendre son souffle ? Ne pas respirer arrêtait le temps, bloquait la peur sur un instant et l'empêchait de penser. Il répétait mentalement le parcours, pourvu qu'il n'y ait pas un tronc d'arbre en travers ou des ronces pour lui faire un croche-pied !

Pourtant, il devait y aller. Pour lui, pour sa fierté ! Vaincre sa peur lui donnerait des forces pour vaincre d'autres appréhensions, pour admettre la vieillesse de Roux et la maladie de Marion. Il lui sembla tout à coup que, s'il cédait, la petite fille et son chien allaient mourir sur l'instant. Alors, il partit, en courant très vite, sans regarder autour de lui. Avant d'arriver au ruisseau, il se prit le pied dans une branche morte, tomba, roula au milieu des ronces. Son pantalon craqua. Il s'était blessé au genou mais ne sentait pas la douleur. Il se remit sur ses jambes en un éclair et poursuivit sa course.

La roulotte de Roger Flamant était en fait un wagon désaffecté qu'il avait pris à la gare de Tulle et qu'il avait fait transporter dans cette clairière par quatre paires de bœufs. Il avait acheté ce bout de terrain au père Mangin à qui il fut reproché d'avoir ainsi permis à un étranger, dont on ne savait même pas s'il était honnête, de s'installer au pays. Pourtant, les villageois furent vite rassurés : Flamant ne quittait que rarement sa clairière, c'était un sauvage qui ne cherchait querelle à personne.

Quand Matthieu arriva, l'homme se chauffait au soleil devant sa porte. Une abondante barbe blanche lui couvrait le visage, ne laissant passer que ses lèvres rouges. Il avait le front large, « trop large pour un calot de militaire », disait-il. Son regard semblait toujours dirigé sur l'horizon, sur l'ailleurs, ces mondes lointains où il avait usé sa jeunesse. Il était vêtu de noir et portait un chapeau à large bord, été comme hiver. Il sourit en voyant l'enfant.

– Tiens, la bleusaille qui vient au rapport. Repos ! Où avez-vous appris à vous présenter ainsi devant votre supérieur ? Pantalon déchiré et genou en sang ?

– Je suis tombé dans le chemin ! dit Matthieu hors d'haleine.

Maintenant, il regrettait d'être venu jusque-là, parce qu'il faudrait bien traverser la forêt dans l'autre sens. C'était ainsi chaque fois qu'il allait voir le vieux soldat : il partait en ayant une foule de questions à lui poser et quand il était devant lui, sa tête restait vide, il ne savait que regarder le bout de ses chaussures.

– Ah, vous êtes tombé dans une embuscade ! L'ennemi est donc dans les taillis. Faudra doubler les sentinelles ! Quoi de plus au rapport ?

Matthieu inspira profondément. Il se sentait idiot et laid devant cet homme qu'il trouvait beau avec sa barbe qui moussait en neige légère sur ses joues et ce front très large, parcouru de rides qui incitaient au respect. Il aurait voulu rester avec lui tout le temps ; rien de mal ne pouvait arriver près de cet ancien officier qui ne craignait pas de vivre seul au milieu des bois.

– Je passais par là ! fit l'enfant. Alors je suis venu vous dire bonjour.

– Sachez, jeune conscrit, qu'on ne fait jamais rien pour rien. Vous êtes là, au rapport, allez au fond de votre pensée.

– Marion va mourir !

Flamant repoussa son chapeau. Il avait, évidemment, entendu parler de la petite fille atteinte de leucémie et s'étonna que Matthieu lui en parle. Son regard parcourut le garçon qui baissait sa tête ronde. C'était sûrement la seule personne que l'original ne chassait pas. La rareté de ses visites n'enlevait rien à ce lien curieux qui les unissait, lui le routard dégoûté de l'humanité et l'enfant écorché vif.

– Mon chien aussi va mourir, et il n'a que deux ans de plus que moi !

Flamant fronça les sourcils et dit sur un ton de reproche :

– On ne place pas les animaux sur la même liste que les membres de la garnison. Un homme ne vaut rien, mais un cheval coûte cher !

Matthieu avait retrouvé son souffle et avait envie de repartir. Enfin, Flamant ajouta :

– Ton chien, tu n'y peux rien. Il est vieux. Mais la petite Marion...

Les mots lui manquaient. Dès qu'il parlait autrement que sur le ton militaire, il se trouvait en difficulté.

– Enfin, on a dit qu'elle allait un peu mieux, alors...

– C'est pas vrai ! Elle va pas mieux ! s'écria Matthieu d'une voix criarde qui faisait mal.

Flamant se gratta le menton du bout de l'index.

– Il y a tant de choses contre lesquelles nous ne pouvons rien !

– Eh bien, c'est pas normal ! Si Dieu était bon...

Flamant eut un léger sourire qui alluma ses yeux.

– Pour ça, tu as raison. Il se contrefout de nous !

Matthieu partit en courant. Quand il parvint à la scierie, il fut fier de sa victoire sur lui-même.

Les parents de Marion venaient à Lachaud tous les dimanches ou presque. Après la réconciliation, ils semblaient rattraper le temps perdu, mais seulement pour les apparences. Albert et Pierre ne s'entendaient toujours pas. Ils faisaient l'effort de se supporter pour Marion, mais s'évitaient. Dès que la traction noire se garait au pied de l'escalier, Pierre embrassait sa fille, sa mère, saluait son père de loin et sortait ses cannes à pêche. Il partait aussitôt au bord de la Vimbelle et on ne le revoyait que le soir. Gustave n'avait jamais réussi à savoir ce qui était à l'origine de leur mésentente, mais il se disait que Pierre avait du caractère et ne se laissait pas marcher sur les pieds. Albert était un homme sec et tranchant, l'entente entre le père et le fils était probablement impossible.

Pauline décida enfin que la charrette de foin était trop lourde sur le dos du pauvre Roux. C'était un mercredi, elle avait réveillé Matthieu à sept heures pour qu'il aille garder les vaches dans un pâturage proche de la rivière. Comme le gamin rouspétait, elle se mit en colère :

– Et tu crois que tout va te tomber tout cuit dans le bec ? Il faudra bien que tu travailles !

Vers onze heures, quand il revint du pré, un minuscule chien vint tourner autour de lui, un chiot de quelques mois, boule de poil blanc qui agaçait le pauvre Roux, ne cessait de le mordiller, de jouer avec ses oreilles ou sa queue.

– C'est le remplaçant ! dit la grand-mère.

Le remplaçant ! Elle osait parler ainsi devant Roux qui avait été un chien fidèle tout au long de sa vie, un allié sûr pour ramener les vaches égarées, un compagnon silencieux de tant d'années. Le remplaçant, ce petit animal dont la jeunesse était une insulte au vieux chien et, surtout, le condamnait à mort !

– Mon pauvre Roux ! dit Matthieu en le caressant.

Gustave revint de la grange, sa casquette penchée sur l'oreille droite. Il était plus petit que Pauline, son corps pourtant rond, son estomac volumineux, ses bajoues ne donnaient pas l'impression de force de la femme qui était bâtie en bûcheron. Il tenait une ficelle d'une main et son fusil à l'épaule. Matthieu comprit.

– Je veux pas ! cria-t-il.

– Il le faut ! fit Gustave en soupirant. C'est comme ça. Moi aussi, ça me fait de la peine.

Ainsi tourné, ce qu'il allait faire devenait un acte de bravoure. Le vieil homme attacha la ficelle au cou de Roux qui regardait Matthieu avec une résignation qui faisait mal. Gustave tira sur la corde. Roux, obéissant jusqu'au dernier instant, réussit, après plusieurs tentatives, à se mettre sur ses pattes et marcha lentement dans le chemin. Il avait vu le fusil, il savait ce que cela signifiait, pourtant il marchait. Matthieu s'enfuit à toutes jambes au fond du hameau en poussant un cri strident. Marion avait entendu et, sans tenir compte des recommandations de sa grand-mère, courut aussi vite qu'elle put derrière lui.

– Matthieu ! Attends-moi.

Elle ne l'appelait pas le Têtard. Même si, à l'école, elle suivait les autres, à Lachaud, tout était différent : Matthieu était son ami.

Le garçon était déjà au milieu du pré en pente. Elle cria de nouveau :

– Matthieu ! Attends-moi !

Il était sourd à son appel. Marion traversa à son tour le pré et arriva, éreintée, à côté d'un vieux noyer au tronc creux. Matthieu était là, la tête enfouie dans ses bras, se bouchant les oreilles.

– Qu'est-ce qui t'arrive ?

– Je veux pas entendre le coup de fusil. Il va tuer Roux !

Il tournait vers elle des yeux pleins d'effroi. Ainsi contracté son visage perdait un peu de ses disgrâces naturelles.

– Viens près de moi !

Il la regarda un instant, puis la peur prit le dessus. Il tremblait de tous ses membres, redoutant le coup fatal qui allait mettre fin à la vie de son chien. Marion prit sa tête entre ses mains et l'attira contre elle. Matthieu entendait dans la poitrine de la fillette le cœur qui battait vite, les poumons qui se remplissaient d'air et se vidaient. Elle lui pressa les oreilles dans la paume de ses mains, ses grandes oreilles qu'il détestait tant.

– Je vais te raconter une histoire, dit Marion. Il y a très longtemps, les oiseaux n'avaient pas encore de plumes. Ils volaient pourtant, mais très mal et, bien sûr, ils n'étaient pas très beaux alors...

Un coup de fusil retentit au loin. Marion sursauta et serra Matthieu très fort contre elle. Elle leva les yeux au ciel et vit des corbeaux que la déflagration avait apeurés. Un nuage passa devant le soleil.

– Tu sais, dit-elle en plantant ses yeux dans ceux de Matthieu, Roux est heureux maintenant.

Matthieu ne répondit pas. Il devrait se faire à l'idée de ne plus voir son vieux chien couché au bord de la route l'attendant les soirs, au retour de l'école.

– Il est heureux parce qu'il ne souffre plus. Il paraît qu'à la fin, quand tu es malade depuis longtemps, tu as si mal partout que tu rêves de mourir...

La fillette trébucha. Elle était de plus en plus pâle et se disait constamment fatiguée. Sournoise, la maladie continuait de ronger son petit corps trop maigre. Matthieu avait observé depuis quelque temps une ride qui s'était formée sur son front, au-dessus des sourcils, minuscule entaille, la marque de la fatalité.

– C'est vrai ! ajouta Matthieu en baissant la tête. Ma grand-mère dit souvent que ma mère avait si mal que...

– Elle avait quel âge ?

Matthieu ne gardait aucun souvenir de sa mère. Il connaissait son visage par de rares photos. C'était une petite femme brune, très mince, aux yeux sombres, aux cheveux bouclés.

– Vingt-huit ans ! Elle te ressemblait.

Il s'éloigna en courant à toutes jambes.

Par tradition, à la fin juin, quelques jours avant les grandes vacances, les enfants d'une douzaine d'années faisaient leur communion solennelle. C'était l'aboutissement de plusieurs années de catéchisme et le passage dans le monde des adultes. Ainsi, après cette cérémonie, les garçons, comme les hommes, n'iraient à la messe que pour les grandes occasions, Pâques en particulier, pour les mariages et les enterrements.

Cette année, ils étaient une dizaine de l'âge de Matthieu à avoir suivi pendant une semaine entière la préparation avec le curé Brissac. Matthieu en était exclu puisque le garnement n'avait jamais pu apprendre un mot de catéchisme et qu'il dissipait tout le monde. Pauline était allée supplier le curé, mais Brissac était resté intraitable :

– Ce sera pour l'an prochain ! Il lui faut une leçon !

– Vous ne pensez pas à la honte, monsieur le curé ! Vous en avez pris qui n'étaient pas plus sages que le mien ! Et puis, il a pas de mère !

– Je vous dis qu'il a besoin d'une leçon. Vous le défendez trop, alors qu'il faudrait le punir !

Finalement, Pauline s'était rangée aux arguments de Brissac et avait conclu :

– Si ça pouvait enfin le décider à être un peu plus raisonnable !

Le dimanche de la communion, il faisait déjà chaud vers dix heures quand les cloches sonnèrent le début de l'office. Les communiants étaient rassemblés sur le parvis de l'église et attendaient que le curé vienne les chercher. Les filles portaient une aube blanche, les garçons, en costume neuf, se distinguaient par un brassard blanc. Marion ne faisait pas sa communion, mais rejoignit ses copines. Sa maladie lui donnait des droits refusés aux autres ; elle put, ainsi, rester avec les communiantes pendant la cérémonie.

À la fin de la messe, les enfants se rassemblèrent pour la photo à côté de l'antique croix de granite. Pauline s'arrêta près d'un groupe de femmes du haut de la commune et bavarda un moment. Matthieu regarda le photographe régler son appareil. Olivier Bonnin lui montra, pour lui faire envie, le magnifique stylo qu'il avait eu en cadeau, brillant de tout son or sous le soleil resplendissant.

Le maire, Lucien Bonnin, saluait les gens avec une certaine hauteur. D'une famille de vieille bourgeoisie, il était marchand de bois et se démarquait des gens ordinaires. Il portait le costume et la cravate avec naturel et n'avait pas ces allures empruntées des paysans qui redoutaient l'accroc ou la tache indélébile. Le visage lisse, les cheveux soigneusement coiffés, il allait la tête nue, ce qui le distinguait aussi des bérets noirs réajustés sur des crânes frileux sitôt la messe terminée.

Matthieu partit vers Lachaud sans attendre sa grand-mère. Personne ne l'intéressait ici, surtout pas les communiants qui ne cessaient de parader d'un groupe à l'autre.

À Lachaud, les parents de Marion étaient arrivés. Pierre partait déjà à la rivière, sa canne à pêche sous le bras. Matthieu courut chez lui, se changea rapidement car il avait trop chaud et descendit au chemin de la fontaine d'où il pouvait surveiller Marion. Lorsque sa mère était là, la fillette bénéficiait d'un peu plus de liberté ; elle le rejoignit quelques instants plus tard. Elle portait une légère robe blanche. Un ruban rouge ornait ses cheveux et tranchait avec la pâleur de son visage.

– Mon père dit qu'il s'entend bien avec mon grand-père, je sais que c'est pas vrai ! dit la fillette se penchant sur l'eau du baquet pour voir son image déformée.

– C'est vrai qu'il reste pas longtemps à la maison ! Il part aussitôt à la pêche !

– Et quand la pêche sera fermée, je parie qu'il ira à la chasse !

Elle parla de la communion qu'elle ferait comme Matthieu avec un an de retard.

– Au début, mon père ne voulait pas que j'aille au catéchisme. C'est parce que je suis malade qu'il a cédé.

– Moi, je m'en fous ! Et puis, j'aime pas le curé !

– Émilie Bonnin m'a invitée cet après-midi, poursuivit Marion. Elle a eu une montre, son frère, un beau stylo ! Moi, c'est le stylo que je préfère !

Bernadette appela Marion pour le repas. Il faisait chaud. Pas un oiseau ne chantait et le silence de midi fit frissonner Matthieu qui partit sur la route du bourg.

Dans le pré, en contrebas, deux hommes fanaient. Ils allaient en soulevant régulièrement le foin qui brillait au soleil aussi léger que de la fumée. Deux hautes haies maintenaient une ombre fraîche. Matthieu regarda un instant la maison du maire qui se dressait devant lui, seule au sommet d'une petite colline. La table avait été dressée sous un chêne aux larges branches. Des servantes s'activaient, tandis que le maire et ses invités buvaient l'apéritif assis sur des chaises blanches. Émilie et Olivier allaient des uns aux autres. Leurs visages rayonnaient d'un bonheur simple qui apparut à Matthieu comme une indécente provocation. Il y avait de la niaiserie dans cette façon de se comporter, une servilité qui l'irritait.

Il s'approcha en se dissimulant derrière les touffes d'arbustes. Un chien pouvait le flairer et révéler sa présence, pourtant, il ne bougea pas, contemplant cette scène familiale qui le révoltait par ses faux-semblants et le fascinait à la fois. Les grandes personnes ne voyaient-elles pas combien Olivier était suffisant et prétentieux ? Ses attitudes empruntées, ses réflexions stupides ne les agaçaient-elles pas ?

Enfin, le maire pria ses invités de passer à table. Le soleil jouait par endroits sur la nappe blanche et dessinait des formes lumineuses mouvantes. Matthieu s'éloigna, contourna la maison, et s'apprêtait à repartir quand il vit, sur le pignon à l'ombre, une porte ouverte. Il s'arrêta, le souffle coupé. La porte donnait sur un couloir comme une invitation à la visite. Il approcha, se plaqua contre le mur. Personne ne pouvait le voir, tout le monde était à table et la cuisine où se rendaient les servantes se trouvait sur l'autre aile. Quelque chose au fond de lui le poussait à entrer. Son cœur battait si vite qu'il avait du mal à contenir son tumulte, mais l'envie était plus forte que la peur et il ne pensait pas au risque de se faire prendre. Il entra dans le couloir sur la pointe des pieds. Des éclats de voix et des rires lui parvenaient, feutrés. Il marcha encore jusqu'à une porte entrouverte. C'était la chambre d'Olivier puisque le brassard avait été posé sur le lit. Matthieu admira un moment les grands rideaux à la fenêtre, le fauteuil, le petit bureau et les étagères sur lesquelles étaient rangés des livres. Le stylo d'or était posé sur le bureau dans sa boîte ouverte. Matthieu hésita, mais, très vite, l'envie de se l'approprier lui fit oublier le risque : personne ne saurait que c'était lui le voleur et Marion pourrait l'admirer. Ils le cacheraient dans le noyer creux en dessous de la fontaine. Le père d'Olivier achèterait un autre stylo et tout serait dit !

Sans réfléchir plus longtemps, il s'empara de l'objet, le fourra dans la poche de son pantalon et sortit en courant sans prendre garde au bruit de ses pas sur le parquet du couloir. Il courut ainsi jusqu'au parc du château. Là, il s'arrêta, le souffle court, le cœur battant. Il resta un moment la bouche ouverte, respirant rapidement, puis sortit le stylo de sa poche. Comme il était beau, tout en métal doré, avec des rayures régulières sur le capuchon ! Et cette plume en or qui reflétait une étoile de soleil ! Il eut la tentation de le rapporter, mais pensa que c'était trop risqué et rentra chez lui.

Son père et son grand-père étaient déjà à table. Pauline lui reprocha son retard. Elle était de très mauvaise humeur et dit à Matthieu qui s'assit à sa place :

– Tu n'as pas eu honte devant les autres qui faisaient leur communion ? Eh bien, moi, si !

Il déplaça ses jambes. Le bruit d'un objet qui tombe le fit sursauter. Il se pencha vivement pour ramasser le lourd stylo qui avait glissé de sa poche. Sa grand-mère, debout à côté de la cuisinière, l'arrêta.

– Qu'est-ce que c'est ? Où as-tu trouvé ça ?

– C'est rien ! cria Matthieu.

Gustave et Armand n'avaient rien vu, mais Pauline saisit Matthieu par le bras et le tira vers elle.

– Laisse-moi !

Elle fouilla les poches et trouva le stylo. Armand s'étrangla et toussa. Gustave regardait l'objet sans comprendre. Le large visage rouge de Pauline se durcit. Les poils de son menton se mirent à trembler de colère.

– Où as-tu volé ça, encore ?

– J'ai rien volé ! Lâche-moi ! hurla Matthieu de cette voix stridente qu'il avait dans ses colères ou ses protestations.

– Ne crois pas que ça va se passer comme ça ! cria Pauline. Cette fois, tu es allé trop loin. Tu vas me dire où tu as volé ce stylo !

– Non !

La grosse main tomba de tout son poids en une gifle qui claqua. Matthieu poussa un cri. Pauline décida :

– À la cave ! Et tu ne mangeras que quand tu auras dit où tu as volé ce beau stylo !

– Non, pas à la cave !

– C'est ce qu'on va voir.

Armand se leva lentement, saisit Matthieu sous le bras et l'emporta. Incapable de décider quoi que ce soit, il se donnait de l'importance en exécutant la sentence.

– Cette fois..., dit-il sans achever sa phrase.

– Lâche-moi ! cria Matthieu.

Le garçon pensait à la nuit de la cave, une ombre humide où se glissaient d'énormes araignées et surtout des salamandres visqueuses, des vers immondes.

Armand ouvrit le battant, poussa le garçon qui tentait de s'agripper aux marches glissantes, puis laissa tomber le lourd panneau de bois qu'il crocheta, sourd aux cris de son fils.

– Cette fois..., répéta-t-il.

Dans la cuisine c'était la consternation. Pauline n'avait pas fini sa soupe et n'avait plus faim. Gustave soupira à plusieurs reprises, ses mains posées sur la nappe cirée, de chaque côté de son assiette vide. Le stylo brillait près de la bouteille de vin et de la tourte de pain, narguait tout le monde par sa lumière précieuse. Sa finesse, sa beauté en faisaient une chose monstrueuse dans cette maison simple où l'on se contentait d'objets usuels sans fioritures.

– Cette fois, faut pas céder ! dit Armand en reprenant sa place, conscient d'avoir accompli un acte utile.

Matthieu criait et tapait sur les planches de l'escalier. Il libérait ainsi la peur qui le rongeait : l'obscurité humide de ce trou creusé dans le rocher l'avait toujours terrorisé au point de refuser d'aller y chercher des pommes de terre ou une bouteille de vin.

– Tu sortiras quand tu auras dit à qui tu as volé ce stylo ! cria Pauline.

Après un silence lourd, la voix de Matthieu monta à travers le plancher.

– Sors-moi de là et je le dirai.

– Dis-le d'abord !

Encore un silence, puis un soupir et enfin ce cri :

– C'est à Olivier !

– Le fils du maire ?

– Oui.

La trappe s'ouvrit brutalement. Matthieu vit la masse sombre de sa grand-mère aussi haute qu'une montagne.

– Sors de là !

Elle plongea ses gros bras dans l'ombre et saisit le garçon qu'elle hissa sans ménagement.

– Ouste ! On y va !

Pauline prit le stylo et poussa Matthieu dans la lumière éclatante de cette belle journée d'été. Elle traînait le garçon avec sa force de lutteur et marchait très vite en direction de la maison bourgeoise perchée sur la colline. Quand ils arrivèrent, M. Bonnin et ses invités buvaient le café sous la charmille à côté de la longue table blanche que des filles desservaient. Le maire s'étonna de voir Pauline, en sueur, le visage durci par la colère, poussant devant elle son petit-fils. Il se leva de son fauteuil et marcha vers eux.

– C'est pour ça ! dit Pauline en tendant le stylo à l'homme.

M. Bonnin prit le stylo et, ne comprenant pas, chercha son fils dans l'assistance. Pauline poursuivit :

– C'est ce voyou qui l'a volé.

Puis son grand corps s'affaissa, elle baissa la tête, des larmes roulèrent sur ses joues épaisses. Des pigeons roucoulaient sur la cheminée.

– On est bien malheureux !

– Voyons, Pauline, dit le maire. Ce n'est pas si grave. Olivier n'avait pas à laisser traîner son stylo.

Se tournant vers Matthieu, il ajouta :

– C'est très mal ce que tu as fait ! Dis que tu recommenceras plus !

Matthieu n'était plus dans la nuit de la cave, mais au grand soleil et ne pensait plus à ses terreurs puériles. Il n'eut pas un mot de regret et osa soutenir le regard du maire.

– Tu mériterais que je tire tes grandes oreilles !

Puis, posant sa main fine sur l'épaule de Pauline, il ajouta :

– Ne vous faites pas de mauvais sang, c'est oublié.

Pauline s'éloigna dans la descente. Matthieu la suivait en silence. Les larmes de sa grand-mère le touchaient, mais il lui en voulait de son humiliation devant le maire.

M. Bonnin était retourné auprès de ses invités et dit à sa femme :

– Pauvres gens ! Ils n'en feront jamais rien de ce garnement. De la véritable graine de bandit !

Matthieu vit la voiture s'arrêter devant l'escalier d'Honorine et deux gendarmes en sortir. Albert, qui n'avait pas l'habitude de ce genre de visite, s'approcha, sa casquette à la main. À côté des deux uniformes sombres, on ne voyait que sa ceinture de flanelle par-dessus sa chemise grise.

– On recherche un certain lieutenant Flamant. Un gars qui habiterait ici depuis quatre ou cinq ans.

Albert se gratta les cheveux. Son visage était très maigre et ses yeux globuleux parcourus de veines rouges.

– Vous voulez dire l'original qui vit dans une roulotte en dessous de l'ancienne scierie ?

– Peut-être ! fit le gendarme. On le cherche.

– Pourquoi ? Il a fait quelque chose ?

Le gendarme haussa les épaules, montrant qu'il ne voulait pas parler. Albert Lagrange poursuivit :

– Il veut voir personne et vit sur un petit bout de terrain qu'il a acheté. C'est pas un gars comme tout le monde...

– On va aller le voir ! fit le gendarme. Mais qu'est-ce qu'il fait chaud !

– Entrez donc prendre un verre...

Matthieu qui avait tout entendu se dit qu'il devait avertir Roger Flamant. Les gendarmes ne pouvaient pas accéder jusqu'à la roulotte en voiture, le garçon avait le temps de les précéder. Il courut jusqu'à l'ancienne scierie, s'arrêta face à la frondaison des arbres et au minuscule sentier qui s'enfonçait dans les taillis. Son cœur battait fort, la sueur coulait sur son front, pourtant ne pas prévenir Roger Flamant lui semblait une trahison qui le salirait à jamais. Matthieu était avec lui contre les gendarmes, contre tous ceux qui donnaient des ordres, les porteurs de fouet, de képi, tous les redresseurs de torts. Il était du côté du renard, du voleur de poules après qui on lâchait les chiens, de l'infâme, du contrefait que les autres jettent hors du troupeau.

Il remplit ses poumons d'air, bloqua sa respiration et partit en courant très vite entre les hautes herbes et les châtaigniers.

La porte de la roulotte était ouverte, mais Flamant n'était pas là. Matthieu fit le tour et le trouva dans le potager qu'il avait aménagé au bord d'un petit pré en pente, exposé vers le sud. Une source fraîche qui ne tarissait jamais coulait en bordure, Flamant y prélevait l'eau de sa boisson et de l'arrosage de ses légumes. Quand il vit Matthieu, l'homme se dressa. Sa barbe avait un éclat de neige au soleil de midi. Il portait une sorte de chapeau de paille dont les tresses se décousaient sur les bords.

– Tiens, la bleusaille ! dit l'ancien officier. Voilà qu'on vient au rapport !

– Les gendarmes ! dit Matthieu. Ils arrivent.

Les sourcils de Flamant se froncèrent, ses yeux clignèrent à plusieurs reprises. Sa barbe fut animée d'un mouvement profond.

– Que dites-vous là, jeune recrue ? La maréchaussée...

– Oui, je les ai entendus ! Ils ont dit qu'ils cherchaient le lieutenant Flamant ! Ils seront là bientôt !

Flamant soupira, parcourut ses rangs de légumes, se tourna vers la roulotte, puis vers la forêt.

– Ça devait arriver !

Puis, regardant encore vers la forêt, il ajouta :

– On va leur jouer un tour à ces emmerdeurs ! Viens.

Ils partirent dans le sous-bois en pente qui descendait jusqu'à un ruisseau dont ils entendaient le bruissement. Sous les arbres, l'air était doux, il faisait presque frais. Du sol montait une bonne odeur de mousse.

Ils arrivèrent à la pente abrupte comme un mur au-dessus du ruisseau. Flamant entraîna Matthieu dans un petit sentier entre les fougères aux lourdes feuilles dentelées. Il s'arrêta devant l'entrée étroite d'une grotte dissimulée par un rocher.

– Les maquis l'ont creusée pendant la guerre et n'ont jamais été dérangés. Personne ne la connaît sauf moi, et toi, maintenant, mais je te fais confiance. Viens.

L'entrée, minuscule, faisait place à une pièce assez spacieuse. Un peu de lumière arrivait jusque-là et permettait de se diriger. Matthieu regardait autour de lui la roche humide d'où suintait une eau jaunâtre. Le sol était boueux et irrégulier, le garçon pensait aux salamandres et aux longs vers de la cave, mais avec Flamant, il n'avait pas peur.

– S'ils cherchaient vraiment, ils finiraient bien par trouver, mais pas aujourd'hui.

En effet, les gendarmes firent le tour de la roulotte, regardèrent à l'intérieur et descendirent au potager.

– Lieutenant Flamant ! cria l'un d'eux.

Flamant à côté de Matthieu riait, ce qui agrandissait le soleil blanc de sa barbe.

– Ils peuvent toujours courir pour que je leur réponde !

– Qu'est-ce qu'ils vous veulent ?

Il haussa les épaules, leva les yeux au plafond sur des images d'un autre temps.

– Ils vont vite se lasser !

En effet, ils s'éloignèrent. Flamant et Matthieu revinrent à la roulotte. Une feuille était épinglée sur la porte : « Lieutenant Flamant, vous êtes prié de vous présenter au commissariat de Tulle dans les trois jours. »

– Bah, fit Flamant en froissant le papier, ils finiront par m'avoir, mais, au fond, c'est peut-être mieux comme ça !

– Mais pourquoi ?

– Soldat, je suis fier de vous ! reprit Flamant. Vous avez accompli votre mission et su prendre l'initiative qui s'imposait !

Les gendarmes revinrent deux fois à Peyrolles et s'arrêtèrent boire un verre au bistrot, car il faisait chaud, mais aussi pour tenter de délier les langues. Deux fois aussi, ils descendirent en voiture jusqu'à l'ancienne scierie et traversèrent à pied la forêt pour aller rendre visite à Roger Flamant. Les conversations allaient bon train. La rumeur courut que Flamant était un ancien SS qui se cachait là sous un faux nom et que la pension qu'il allait chercher chaque mois à la poste était l'intérêt d'une forte somme d'argent placée en Suisse et qu'un banquier complice lui faisait parvenir. On dit aussi que c'était un criminel dangereux, évadé de prison pendant la guerre. Ainsi l'original tranquille qui ne dérangeait personne devint-il en quelques jours le sujet de toutes les conversations. Les gens avaient peur et souhaitaient que les gendarmes emmènent cet intrus. Matthieu écoutait et restait à l'affût de la moindre indiscrétion.

L'état de Marion tracassait Honorine qui lui interdisait de s'éloigner de la maison, mais elle n'obéissait pas toujours. Souvent, elle rejoignait Matthieu qui gardait les vaches au bord de la rivière. Elle avait ainsi le sentiment de casser ses chaînes, de se libérer du carcan de la maladie.

– Il y a des milliers de filles comme moi, et pourquoi la leucémie m'a choisie, moi ? demanda-t-elle, un soir, à Matthieu.

Il hésita un moment avant de répondre. Il prêta l'oreille à la cascade qui bruissait. Dans le calme, en dessous, des bancs de vairons jouaient dans la lumière.

– Il y a des milliers de garçons de mon âge. Quelques-uns sont très beaux, d'autres moyens et il y en a un seul laid avec une grosse tête et de grandes oreilles. Pourquoi ?

Elle éclata de rire, un rire pâle comme ses joues, sans entrain.

– Tiens, c'est pour toi, regarde...

Il sortit de sa poche un magnifique briquet doré, souleva le couvercle, fit tourner la mollette et une petite flamme se mit à vivre en équilibre sur la mèche.

– Qu'il est beau ! dit Marion. Mais où l'as-tu trouvé ?

– T'en fais pas, il est pour toi !

Marion prit le briquet, joua de ses reflets au soleil, l'alluma plusieurs fois, puis le plaça au creux de sa main.

– Franchement, où tu l'as trouvé ?

– Je l'ai acheté pour toi ! mentit Matthieu.

– Tu as fait ça pour moi ?

Il baissa les yeux, Marion avait compris qu'il l'avait volé, qu'elle devait le refuser, mais le briquet la fascinait. Elle éprouva du bout des doigts la douceur du métal. Ce qu'elle faisait était très mal, elle devait en parler à sa grand-mère, sinon elle devenait la complice d'un voleur. Pourtant le briquet pesait dans sa main et elle ne pouvait détacher sa pensée de ce poids qui répandait dans son corps fatigué une douce chaleur, une sensation de bien-être, légère et enivrante.

– Oui, mais je peux pas l'emporter chez moi, ma grand-mère se fâcherait ! dit-elle.

– Eh bien, tu le caches. Viens, je vais te montrer une cachette.

Ils allèrent jusqu'au vieux noyer au tronc creux qui se trouvait dans le talus, entre le chemin en contrebas et un taillis de prunelliers. Matthieu venait souvent s'y cacher quand Pauline le menaçait.

– Ici, personne ne le trouvera. Et toi, tu pourras venir le voir et t'en servir quand tu voudras.

Marion regarda Matthieu comme elle le faisait parfois ; un petit sourire allumait dans ses yeux une lumière qui semblait ne briller que pour lui. Tout à coup, elle se raidit, pleine de remords, redoutant que cette mauvaise action n'aggrave son état.

– Tu sais, je me demande si...

Elle ne finit pas sa phrase, consciente que les vols de Matthieu ne la choquaient pas et que, d'une certaine manière, elle les désirait. Le diable la tentait; ainsi, depuis qu'elle était malade la fillette se découvrait des envies nouvelles.

– Je vais aller chercher du papier et je le recouvrirai pour qu'il ne s'abîme pas et je le cacherai sous la mousse. Personne ne pourra me le prendre!

Tout à coup, Marion trébucha. Ses yeux se voilèrent. Son front se couvrit de petites gouttes de sueur, elle tourna autour d'elle un regard terrifié et dut s'appuyer contre le noyer, puis s'assit à même le sol.

– Marion, qu'est-ce qui t'arrive?

Elle secoua la tête, ouvrit la bouche comme pour lui répondre. Enfin, elle reprit ses esprits.

– C'est passé! dit-elle. Mais j'ai eu la trouille.

Ce n'était pas la première fois qu'elle avait ainsi un malaise. Matthieu demanda :

– Tu en as parlé au docteur?

– Oui, mais il dit que c'est normal! Je vais de mieux en mieux!

Matthieu savait que ce n'était pas vrai. Au contraire, l'état de Marion s'aggravait de jour en jour. Elle marchait avec de moins en moins d'assurance, ses doigts étaient continuellement agités d'un imperceptible tremblement et son visage était toujours aussi pâle avec de grosses veines bleues qui couraient sur la peau exagérément fine de ses tempes.

Pauline avait décidé que Matthieu irait à la messe chaque dimanche, espérant que la grâce divine finirait par le toucher et le ramènerait dans le droit chemin.

– Le curé m'a dit que tu ferais ta première communion l'année prochaine !

– Je m'en fous.

– Pas moi ! On est des gens d'honneur ! De toute façon, les moines vont te dresser !

Pauline avait en effet suivi la proposition de Gustave et demandé à Brissac d'intervenir auprès des frères jésuites de Brive dont le collège et l'internat s'étaient fait une solide réputation de sévérité.

– Je veux pas aller chez les jésuites ! s'écria Matthieu quand il apprit la décision de sa grand-mère.

– C'est ce qu'on verra !

L'été touchait à sa fin. Déjà, les journées étaient moins longues et, le matin, le soleil tardait à sortir des collines. L'humidité faisait goutter les branches des arbres et, dans le pré bas, à côté de la fontaine, la rosée restait souvent jusqu'à midi. Les feuilles des noyers se ternissaient, l'enveloppe verte des noisettes séchait et se craquelait. Matthieu en remplissait ses poches et les mangeait en les cassant entre deux cailloux. Marion le rejoignait et ils se goinfraient. Un soir, tandis que la fraîcheur tombait, ils étaient près du noyer creux. Marion, du bout des doigts, lustrait le métal du briquet. Elle avait dans le regard une lueur blanche imprécise.

– Peut-être que Dieu punit mon père ! Il ne voulait pas que j'aille à la messe ni que je fasse ma communion, alors, il m'a envoyé cette maladie.

Matthieu se dressa, outré. Étant souvent puni à la place des autres, il avait acquis un sens de la justice qui motivait beaucoup de ses révoltes.

– Et tu crois que Dieu va te punir, toi, d'une faute qu'un autre a faite ? Non, leur Dieu ressemble un peu à mon père, toujours de l'avis du plus fort ! À la messe, avec ma grand-mère, je ne prie pas, je regarde Dieu dans le blanc des yeux et je lui dis qu'il n'a pas de quoi être fier ! S'il était vraiment bon, il n'y aurait pas besoin de le prier !

Marion regarda Matthieu, contrariée. Elle savait que les manifestations divines étaient rares, mais conservait le vague espoir que les prières de sa mère et de sa grand-mère l'aideraient à guérir. D'ailleurs, la communion du dimanche n'avait-elle pas le pouvoir de la calmer ?

– Tu n'as pas raison. Le dimanche, à la messe, quand j'ai communié, je me sens beaucoup mieux pendant toute la journée !

– C'est une idée que tu te fais !

Matthieu exprimait sa révolte et en prenait le risque. Elle l'embrassa sur la joue. Marion embrassait à toute occasion, comme les gens de la ville. Matthieu, qui avait la retenue des paysans, n'extériorisait que rarement ses sentiments. Chez lui, personne ne l'embrassait et ce geste anodin prenait, par sa rareté, une force souveraine. Il se sentit rougir jusqu'au bout des oreilles et s'éloigna très vite, sans un mot, pour se cacher.

Marion le regarda courir, fuir ce qu'exprimait ce baiser rapide dont il avait peur. Elle savait combien il était peu sûr de lui, tourmenté, seul, mais elle admirait son goût de la provocation. Et puis, il était le fils d'une femme que le cancer avait emportée, le reflet de celle qui était allée au bout du chemin de croix qui serait probablement celui de la fillette.

Le lendemain, Matthieu et sa grand-mère ramassaient les pommes de terre que son père et son grand-père arrachaient depuis l'aube. L'arrachage se faisait à la main, rares étaient les paysans qui disposaient d'une machine. Matthieu et Pauline remplissaient leur panier qu'ils allaient vider dans la charrette. Quand celle-ci était pleine, Armand attelait les bœufs et emmenait le chargement pour lui éviter de prendre le soleil. Les pommes de terre étaient conservées dans la fraîcheur de la cave. Une petite ouverture percée dans le mur au niveau du sol permettait de les y déverser facilement.

Quand il eut un moment de liberté, après cinq heures de l'après-midi, Matthieu courut à la fontaine où Marion le rejoignit presque aussitôt.

– J'ai fait un vœu ! dit-elle en ramassant des noisettes.

– Ça sert à rien ! répondit Matthieu, bougon. Tu peux faire tous les vœux de la terre, c'est pas ce qui les fera se réaliser !

– Si je guéris un jour, je m'occuperai d'enfants malades !

Matthieu haussa les épaules.

– C'est un mauvais vœu. Parce que si tu guéris, tu croiras que c'est à cause de lui et tu devras faire ce que tu as promis alors que tu serais guérie de la même manière en ne faisant rien !

Matthieu avait toujours une réponse à tout. Marion pensait à cet enfant borné qui refusait de répondre aux questions de Mme Pelletier, alors que là, sous le noisetier qui donnait ses petits fruits en abondance, il montrait, dans l'opposition et le refus, une facilité de parole que n'avaient pas les autres élèves.

Son visage s'alluma, ses yeux se mirent à pétiller.

– J'ai quelque chose pour toi !

Matthieu enfonça sa main droite dans sa poche et en sortit une magnifique chaîne dorée, ornée d'une croix incrustée de petites pierres brillantes comme des étoiles.

– C'est pour toi !

Elle se mordit la lèvre inférieure, s'approcha, mais n'osa pas prendre le bijou, comme s'il allait la brûler. Elle leva les yeux sur Matthieu qui souriait.

– Tu l'as trouvé où ?

Cette question n'attendait pas de réponse, c'était une manière pour Marion, en feignant l'ignorance, de se situer en dehors du larcin. Matthieu hésita un instant puis, inspirant, dit à voix basse :

– Je l'ai trouvé par terre. Sur la route.

– Alors c'est quelqu'un qui l'a perdu ! Il faut le rapporter et demander à qui il appartient.

– C'est pas vrai, je l'ai pas trouvé sur la route !

Marion fronça les sourcils. Elle avait le sentiment de tourner autour d'un grand brasier et qu'au moindre faux pas elle allait se brûler tout entière. Et pourtant, rien ne pouvait la retenir : s'approprier ce qui appartenait aux autres allégeait sa maladie.

– Alors, tu l'as...

Elle n'osa pas prononcer la suite. Ses yeux brillaient toujours, de convoitise, mais aussi d'une excitation nouvelle.

– Les autres ne sont pas malades, eux ! Ils en ont moins besoin que toi ! dit Matthieu pour se justifier.

Elle prit la chaîne et la porta à son cou. Les petites pierres brillaient comme des étoiles posées sur sa peau.

– C'est mieux que les bonbons ! constata-t-elle.

– C'est pas le même risque, non plus ! avoua Matthieu.

Il n'aurait su dire pourquoi il volait. C'était comme un élan profond de sa personne, une façon pernicieuse de se rapprocher des autres sans qu'ils le voient, de pénétrer leur intimité, lui qui ne partageait rien avec personne. Tout à coup, Marion devint grave :

– Faudrait pas que...

Elle resta un instant comme suspendue à cette négation, les yeux dans ceux de Matthieu qui avait compris.

– Qu'est-ce que ça peut faire ? Tu as vu mon père ? Il ne sait pas que j'existe, et, même s'il le savait, ça ne servirait pas à grand-chose, c'est un simplet !

Il s'étonna d'avoir parlé ainsi. Ses joues rondes et ses grandes oreilles se colorèrent.

– Je me demande comment ma mère a pu l'épouser. C'est peut-être à cause de ça qu'elle est morte, par ennui.

– Non, on n'est pas malade parce qu'on s'ennuie. On est malade parce que c'est comme ça. D'ailleurs, c'est pas une raison, c'est mal ce que tu fais...

Elle baissa la tête, fit jouer la croix dans ses doigts et ajouta :

– ... ce que nous faisons !

Elle avait parlé ainsi pour être en accord avec sa conscience, et pouvoir laisser libre cours à ses désirs, car ces objets volés avaient un charme dont les autres étaient dépourvus. En elle, quelque chose de flou, d'intraduisible par des mots, s'exprimait par ces vols, quelque chose qu'elle partageait avec Matthieu.

– Et alors ?

Matthieu pensait à sa mère, aux photos dans l'armoire de Pauline.

Les jours suivants, Matthieu, caché derrière les noisetiers en bordure du chemin creux qui descendait vers les prés bas, ces pâturages humides où poussaient des joncs, s'amusait de voir Marion prendre une infinité de précautions pour échapper à la vigilance de sa grand-mère et s'en aller admirer son trésor caché dans le tronc du noyer. Il en éprouvait un grand bonheur, car c'était lui qu'elle rejoignait et, pour une fois, il était beau.

Au début du mois de septembre, Pauline retourna voir le curé qui s'était occupé du placement de Matthieu chez les jésuites. Le garçon ne pourrait pas être admis avant Noël et bénéficiait ainsi d'un peu de répit. Il envisageait ce placement comme un emprisonnement et, surtout, il redoutait les religieux qui avaient la réputation d'être très sévères et d'avoir maté des garnements autrement plus durs que lui.

– Marion, viens voir !

Depuis quelque temps, la fillette se plaignait de douleurs vives au ventre. Les médicaments qu'elle prenait tous les jours lui brûlaient l'estomac. Son visage était marqué d'une fatigue permanente. Elle sortait peu, seulement l'après-midi, et sa grand-mère ne lui permettait pas d'aller plus loin que la fontaine.

– Viens voir, je te dis !

Ses yeux étaient pleins d'une résignation qui faisait mal. Elle marchait lentement du pas incertain d'une petite vieille. Matthieu lui tendit son bras, elle s'y appuya. Ses joues se fripaient ; son corps fondait, se recroquevillait sur lui-même. Elle soupira, regarda longuement Matthieu d'un air abattu.

– J'en ai marre ! dit-elle.

En face de cette souffrance, le garçon s'en voulait de sa bonne santé, de la vitalité qui l'habitait. Il aurait voulu endosser la maladie de Marion, la prendre à son compte.

– Regarde...

Il sortit de son sac un superbe vase doré sur lequel étaient peints des anges bleus. Marion ouvrait de grands yeux et souriait.

– Que c'est beau !

– C'est au château ! dit Matthieu.

Maintenant Marion tournait le vase dans ses mains et en admirait les formes.

– Qu'est-ce qu'il est lourd !

– Ça doit être de l'or ! estima Matthieu.

– Comme tu es gentil ! fit la fillette émerveillée, oubliant pour un instant sa fatigue et ses tourments quotidiens.

Elle savait que la maladie allait tenter une nouvelle offensive et qu'elle allait peut-être mourir. Son attitude résignée irritait Matthieu qui mesurait l'injustice de cette souffrance.

– Je ne vais probablement pas pouvoir aller à l'école ! précisa-t-elle. Il faudra que quelqu'un m'apporte les devoirs que je ferai à la maison.

Marion rangea le vase avec son trésor dans le tronc du noyer et se dirigea lentement vers le chemin.

– Qu'est-ce que j'en ai marre ! répéta-t-elle.

– Je vais t'aider ! fit Matthieu en lui tendant son bras.

– Demain, c'est dimanche. Je serai moins fatiguée ! ajouta la fillette. C'est tous les dimanches comme ça : en communiant, Jésus me soutient, mais j'ai peur dans la semaine.

– C'est des blagues ! je te dis.

– Non, je te promets, c'est vrai !

À la maison, Pauline remarquait que Matthieu était moins dissipé que d'habitude. Il acceptait sans rechigner les petits travaux qu'elle lui confiait. Il suivait volontiers son père et son grand-père qui nettoyaient les bois avant la chute des premières châtaignes. Le prochain placement chez les jésuites n'était certainement pas étranger à ce progrès et la grand-mère s'en félicitait.

– Je veux pas aller en pension ! répétait le garçon de sa voix pointue, rayée de ressentiments.

Pauline prenait alors un air contrarié et, les mains posées sur les hanches, disait d'un ton de reproche :

– T'avais qu'à y penser avant ! Maintenant, c'est trop tard !

– Et si je jure de bien travailler à l'école et de faire tout ce que vous me demanderez ?

– On te croit pas. On connaît tes serments de Polichinelle !

– De toute façon, je m'en irai et personne ne me retrouvera jamais !

– Je suis bien tranquille ! Ils ont les moyens de te tenir et surtout de faire plier ta tête dure !

Plusieurs plaintes avaient été déposées à la gendarmerie de Tulle dont la commune de Peyrolles dépendait. Des objets précieux avaient disparu du château et des maisons voisines. Paul Lemaître, le gardien, avait monté la garde toute une nuit caché dans le parc mais n'avait pas réussi à surprendre le voleur. Mme Bonnin déclara qu'on lui avait volé une magnifique chaîne en or massif. Les gendarmes vinrent faire un tour à Peyrolles, rendirent visite à Paul Lemaître, puis au maire et à quelques autres personnes victimes du voleur. Ils descendirent voir de nouveau Roger Flamant. En revenant, un gendarme déclara à Paul Lemaître :

– Nous le soupçonnons de choses beaucoup plus graves !

– Ah bon ? Et qu'est-ce qui peut-être plus grave que de s'approprier les biens d'autrui ?

Le gendarme n'en dit pas plus. Il remonta dans sa voiture après avoir recommandé à Lemaître la plus grande vigilance et surtout de lui signaler tout ce qui pourrait aider les enquêteurs.

À Peyrolles, la rumeur allait bon train. Louis Masson, du bistrot, estimait que les gendarmes n'étaient pas restés bien longtemps et leur manière de parler de Flamant lui semblait bizarre.

– Qu'est-ce qu'ils lui reprochent ? fit l'homme derrière le comptoir, posant ses mains rouges sur le rebord du bois, comme le faisait le curé Brissac sur sa chaire, les dimanches de fête. Ils sont montés au moins quatre fois, pourquoi ? Flamant se cache chez nous, voilà la vérité ! Ils l'ont pas dit ouvertement, mais on l'a bien compris.

Alors, Léon Dumaillet ajouta :

– Moi, quand je fais tourner ma raboteuse, ça fait un bruit qui cache tout le reste. Alors les gens parlent, ils savent pas que, moi, j'ai tellement l'habitude que j'entends tout ! Et l'autre jour, les gendarmes ont arrêté leur voiture devant ma porte. La raboteuse tournait, ils se méfiaient pas. Et j'en ai entendu un qui disait : « Ses papiers sont en règle, mais ça veut rien dire, il a pu en faire des faux pendant la guerre ! » Mais je sais pas de quelle guerre ils parlaient.

– Et il serait qui ?

Le menuisier haussa les épaules, geste qui en disait long sur ce qu'il imaginait. Le maire fut interpellé sur la présence de ce dangereux individu dont on ne savait rien :

– Il n'a jamais fait de mal à personne que je sache ! répondit Bonnin, alors laissez-le tranquille !

– Oui, et en attendant on nous vole ! répliqua Lemaître. Un de ces jours je vais prendre mon fusil et je vais aller le trouver !

– Vous n'en ferez rien !

Des bijoux, des objets précieux continuaient à disparaître. La montre qu'Isabelle Chenet avait eue pour sa communion solennelle fut volée, puis la belle bague avec ses perles fines de Mme Pelletier. Chacun faisait sa petite enquête, mais le voleur restait invisible.

À Lachaud, Pauline veillait. Elle ne pensait pas que Matthieu fût capable de tels forfaits ; ceci pour se rassurer, mais depuis le vol du stylo d'Olivier Bonnin, elle sentait en son petit-fils une nature qui dépassait largement le garnement, une stature de véritable bandit. Rien cependant ne lui permettait d'accuser Matthieu et elle n'en parlait pas, autant par faiblesse que par conviction.

Gustave non plus ne croyait pas Matthieu capable de ces vols. Armand, pour une fois, était dans le vrai, mais personne ne l'écouta. Il exprima son avis sous la forme d'un proverbe :

– Qui vole un œuf, vole un bœuf !

Il avait les jambes longues, le buste court. Il tourna vers sa mère son regard clair.

– Moi, je l'enfermerais dans la cave jusqu'à ce qu'il ait parlé ! ajouta-t-il.

Pauline haussait ses larges épaules :

– Pour que tout le monde pense que c'est lui le voleur !

Pauline savait bien que le comportement de Matthieu venait du fait qu'il était privé de sa mère. Armelle portait aussi son fardeau de brimades, de privations. Le cancer avait mis fin à une misérable vie qui, avec le temps, aurait peut-être pu s'épanouir. Fille malmenée par un père alcoolique, elle avait épousé Armand pour partir de chez elle. Armelle était allée très peu à l'école, lisait et comptait difficilement, mais elle avait du jugement et savait travailler. Elle aurait eu assez d'entendement pour diriger Armand. Comme elle, Matthieu n'était pas bête ; personne ne se souvenait de lui avoir appris à lire et à écrire, Mme Pelletier disait souvent qu'il savait en arrivant à l'école, comme il savait chanter. Matthieu refusait de travailler parce qu'il avait été mal élevé et Pauline s'en voulait de ne pas avoir su l'aider. Le curé Brissac lui recommandait la sévérité, mais Pauline, qui était une femme simple et de bon sens, comprenait qu'elle en faisait toujours trop ou pas assez, qu'elle le punissait quand il aurait fallu l'écouter ou qu'elle passait sur des attitudes qui demandaient une sanction immédiate. Elle espérait que les jésuites sauraient mettre de l'ordre là où elle n'avait pu semer que confusion.

– Marion, je te cherchais... C'est bientôt la rentrée... J'ai pas envie d'aller à l'école...

– Moi, je voudrais bien y aller, mais je suis fatiguée à ne pas pouvoir mettre un pied devant l'autre ! dit la petite fille. Aujourd'hui, ça va mieux parce que c'est dimanche.

– Tu es contente de voir tes parents ?

Matthieu, les mains dans les poches, poussa du bout du pied un caillou qui roula dans le chemin en pente. Les feuilles des noisetiers jaunissaient déjà. La lumière était plus épaisse, comme sirupeuse. Le vent transportait des odeurs de fruits mûrs et de fleurs sèches. Marion, qui ne pouvait rester debout trop longtemps, s'était assise sur une souche. Elle avait toujours froid et, malgré la chaleur encore agréable, s'était couverte les épaules d'un gilet de laine.

– Oui, mais j'ai peur.

Matthieu s'assit près d'elle. Le léger parfum des épais cheveux noirs arrivait jusqu'à ses narines.

– Tu as peur de retourner à l'hôpital ?

– Non, j'ai peur de ce que les gens disent, à propos des... des choses qui sont dans le tronc du noyer !

– Personne n'ira les chercher. Et puis, toi, tu n'as rien fait.

Elle tourna vers lui ses yeux gris pleins d'inquiétude. Elle se sentait coupable, tout autant sinon plus que Matthieu et, depuis que les gendarmes de Tulle étaient venus enquêter, mesurait la gravité de ses actes. Sa maladie ne lui autorisait pas tout et celle qui attirait la compassion pouvait être condamnée comme tout le monde. Elle pensait à ses parents, son père modeste ouvrier dans une ébénisterie et à sa mère qui faisait des petits travaux de couture à la maison.

– Je veux pas que tu sois malade ! dit Matthieu. Je veux que tu vives.

Elle haussa les épaules. Elle aussi voulait vivre, connaître tout de la vie, et des émois nouveaux que son jeune corps d'adolescente pressentait, oublier les salles d'hôpital, les traitements, toujours plus durs. Elle dit :

– J'ai l'impression qu'un grand mur noir se dresse devant moi et que je cours me fracasser contre lui sans que rien ni personne ne puisse me retenir !

– Je suis là !

Matthieu courut jusqu'au fossé, déplaça des herbes sèches, puis revint, portant un objet emballé dans du papier journal.

– Regarde !

Marion ouvrit de grands yeux, son visage prit une expression horrifiée :

– Tu es fou ? Tu veux aller en enfer et entraîner le malheur sur nous tous !

– Mais non. Tu m'as dit que tu étais mieux quand tu avais communié, alors voilà...

Elle regardait, fascinée, le ciboire et les hosties blanches qui avaient glissé sur le papier journal. Leur présence, là, à côté du vieux noyer, était tellement incroyable qu'elle mesurait la dimension du sacrilège.

– Tu l'as trouvé où ?

– Le curé l'avait oublié dans la sacristie, alors je l'ai pris.

Marion hésitait. Cette fois Matthieu avait dépassé les limites, pourtant ce vol témoignait d'un sentiment total qui lui faisait du bien. Son corps affaibli semblait revivre en regardant les hosties.

– C'est mal ! dit-elle. Tu comprends que c'est très mal ! Tu portes là le corps de Jésus, plié dans du papier journal, comme tu porterais un paquet de haricots...

– Tout ça, c'est des foutaises ! dit Matthieu en jouant les fortes têtes.

Sans rien ajouter, Marion serra le garçon dans ses bras et lui murmura à l'oreille :

– Sans toi, je serais déjà morte !

Elle en était persuadée. La présence de Matthieu, son attention continuelle l'aidaient à lutter contre la pieuvre qui poussait ses tentacules dans chaque partie de son corps. Des douleurs terribles l'avaient tenue éveillée la nuit dernière, des crampes qui tordaient ses mollets. Et, chaque jour, elle était plus faible ; les forces lui manquaient pour monter l'escalier du perron. Une curieuse impression d'être très vieille, d'avoir vécu plusieurs siècles et d'arriver au bout de son chemin la terrorisait.

– Voilà ce qu'on va faire, dit Matthieu. Tu en manges une ou deux ce soir et, si tu te sens mieux, tu continueras demain, sinon, je rapporte tout ça où je l'ai trouvé.

Marion aurait voulu avoir la force de refuser, mais elle était trop lasse, elle en avait assez des médicaments, de la peur chevillée au ventre. Elle tendit la main, deux doigts écartés, comme une pince d'écrevisse, l'approcha des hosties puis recula, comme brûlée. Matthieu tenait toujours le journal. Il avait eu ce courage énorme de braver tous les dangers humains et la menace divine pour apporter un peu d'apaisement à la fillette. Cette pensée lui donna le courage de prendre une hostie entre le pouce et l'index, de la soulever jusqu'à ses lèvres. Elle avait le sentiment de commettre un sacrilège terrible, le pire de tous les péchés, mais n'en avait pas de remords. Au fond, qui avait commencé, Dieu en lui envoyant la maladie ou elle en prenant cette hostie ?

Elle la porta à ses lèvres. Elle s'attendait à une manifestation extraordinaire, coup de tonnerre, tempête soudaine, et s'étonna qu'il ne se passât rien. Le merle qui chantait sur le vieux noyer ne fut pas terrassé. Les nuages continuèrent de courir dans le ciel.

– Dieu est d'accord ! conclut-elle, sinon, il nous l'aurait dit.

Le miracle se produisit : Marion se sentit bien dans la soirée et le lendemain. Elle était persuadée qu'elle le devait à l'hostie. Matthieu, qui passait ses après-midi à ramasser les pommes de terre, put s'échapper et la rejoindre à la tombée de la nuit.

– Combien il en reste ?

– Je sais pas, mais je t'en trouverai d'autres.

– C'est le meilleur des remèdes. Donne-m'en deux ou trois. Regarde comme je vais bien.

Matthieu déplia la feuille de journal, souleva le ciboire et tendit une première hostie à Marion.

Elle souriait, retrouvait tout à coup le goût à la vie.

La semaine se passa calmement. Les gendarmes revinrent une fois à Peyrolles puis à Lachaud pour rendre visite à Roger Flamant, ce qui ne manqua pas d'aviver les conversations et de stimuler l'imagination de beaucoup.

Le dimanche, Matthieu se rendit à la messe avec sa grand-mère. Marion, trop fatiguée, n'avait pu faire le déplacement. L'effet des hosties de Matthieu s'était vite estompé : la jeune fille restait allongée une partie de la journée. De courts répits lui permettaient cependant d'aller prendre l'air, mais elle marchait courbée sous le poids de la maladie en s'aidant d'un bâton comme un vieillard.

En arrivant sur la place de l'église, Pauline apprit la terrible nouvelle qui agitait l'assemblée des paroissiens :

– On vous l'a pas dit ? On a volé le ciboire plein d'hosties consacrées !

Matthieu fit semblant de ne pas avoir entendu. Pauline ouvrit de grands yeux : un tel outrage à Dieu était-il possible ? Elle regarda Matthieu malgré elle.

Ils entrèrent dans l'église. La foule était plus dense que d'habitude : les curieux se pressaient dans la nef. Le curé commença la messe comme si rien ne s'était passé. Il avait cependant les traits tirés, les lèvres serrées et ses gestes étaient plus vifs sous l'effet d'une colère contenue.

Arriva enfin le moment du sermon que tout le monde attendait. D'ordinaire, Brissac se contentait de commenter l'Évangile du jour et d'y ajouter ses conseils qu'il formulait en fonction des récentes confessions, mais comme les mêmes fautes revenaient invariablement, ses prêches étaient tellement ennuyeux que l'assistance en profitait pour échanger quelques mots à voix basse. Ce dimanche-là, tout le monde comprit qu'il allait faire des révélations graves. Son visage fermé et surtout sa manière raide, solennelle, de monter en chaire maintenaient l'assistance dans un silence de classe où le maître va distribuer des punitions. Tous ignoraient le nom du voleur, mais tous se sentaient coupables devant ce prêtre qui les dominait, et Pauline, plus que les autres, baissait la tête. Matthieu pensait à Marion. Le voleur d'hosties ne regrettait pas son acte. Dieu lui-même avait commandé le vol par l'imperfection de sa création.

En chaire, dominant l'assistance, Brissac posa ses mains sur le rebord de bois lustré par des générations de curés et commença d'une voix grave qui s'amplifiait sous la voûte de la nef :

– Mes bien chers frères, la situation est grave et j'irai droit aux faits, sans le moindre détour. Lundi ou mardi dernier, quelqu'un a profané le tabernacle et volé le ciboire d'or avec les hosties qu'il contenait.

Personne n'ignorait l'événement, pourtant, de l'entendre formuler par le curé le rendait plus odieux encore. Un remous parcourut l'assistance.

– Ce sacrilège, j'en suis sûr, n'est pas le fait de personnes ici présentes. Vous êtes tous trop respectueux de notre vraie foi pour arriver à une extrémité qui n'a d'autre but que de profaner nos lieux saints. Mais qui, dans cette paroisse, affiche un mépris hautain, une haine soutenue à l'égard de Dieu et de sa parole ? Je ne vais pas cacher mes soupçons plus longtemps. Ici, un seul homme est capable d'un tel sacrilège et je vais le désigner. Il se dit ancien militaire, il hait les hommes et les bons sentiments. Il crache quand il passe devant l'église et ne me salue jamais. Vous savez de qui je veux parler, de cet homme dont on ne sait d'où il vient et qui intéresse de plus en plus les gendarmes.

Matthieu, cette fois, avait des remords. Le curé accusait ouvertement Roger Flamant et le garçon s'en voulait d'être à l'origine d'une telle injustice.

– Des vols ont été commis dans de nombreuses maisons et au château, ces derniers temps. Ce ne sont pas des vols ordinaires de petits délinquants qui cherchent à tirer profit de ce qu'ils prennent, non, ce sont des vols destinés à exprimer la haine de tous les hommes, la haine de Dieu.

À la sortie de la messe, des groupes se formèrent sur la place. Chacun commentait les propos du curé. Roger Flamant serait-il ce monstre décrit par le prêtre ? Adèle Chenet disait qu'il n'avait jamais eu le moindre propos désobligeant, qu'il était au contraire aimable quand il venait faire ses courses et prendre l'argent de sa pension. De son côté, Léon Dumaillet lui trouvait un air bizarre, quelque chose d'anormal, un manque de franchise.

Matthieu et sa grand-mère ne s'attardèrent pas. Pauline n'aimait pas ces bavardages sans raison et avait autre chose à faire. Pour une fois Matthieu l'accompagna ; il était pressé d'aller voir Marion.

Ils arrivaient à Lachaud quand la voiture des gendarmes les dépassa et descendit sur le chemin de l'ancienne scierie. Gustave qui était dans son étable sortit devant la porte. Armand qui tentait de réparer de vieux râteaux en bois posa son couteau et son marteau. Matthieu ne prit pas le temps de se changer et, sans entendre les menaces de sa grand-mère, partit en courant derrière la voiture. Celle-ci s'arrêta dans le chemin. Deux gendarmes en descendirent et, sans dire un mot à Armand qui s'était approché, s'en allèrent dans le sentier qui conduisait à la roulotte. Matthieu les suivit à distance.

Des cris surprirent le garçon qui crut reconnaître la voix de Flamant. Puis, au bout d'un instant, les deux gendarmes remontèrent vers la scierie encadrant l'original à qui ils avaient passé les menottes. Flamant aperçut Matthieu et leva les bras vers lui, montrant les bracelets de fer reliés par une chaîne.

– Voilà la bleusaille qui vient assister à une *dreyfusade* !

Les deux gendarmes se regardèrent. Matthieu, qui voyait pour la première fois Roger Flamant en compagnie d'adultes, constata qu'il était plus grand que les gendarmes : c'était un colosse !

– Fantassin, dit-il en souriant, n'oublie pas : fais toujours semblant d'être de l'avis des autres, sinon ils t'enfermeront. Si tu veux réussir, ne te préoccupe pas de la morale, mais des moyens d'échapper au jugement des tribunaux !

– Taisez-vous ! dit un gendarme.

Devant la voiture, Flamant se dressa, montrant par là qu'il avait le goût de la bravade, et dit fièrement :

– Sachez, grenadier, qu'on ne m'a parlé de la sorte depuis Diên Biên Phu, le 5 mai 1954. Je récitais des vers sous la mitraille ! Ouais, je connais Racine par cœur ! L'un des maréchaux qui m'accompagnaient me dit de me taire car il avait peur et mon détachement le mettait en face de sa lâcheté !

– Faites pas d'histoire, montez dans la voiture !

– Volontiers, grenadier, mais la justice se fera en ma faveur et j'exigerai de vous des excuses, et de votre corps d'armée une réhabilitation en présence du préfet !

Le gendarme avait ouvert la portière et, avant de s'asseoir à l'arrière, Flamant dit en regardant Matthieu :

– Rappelle-toi, bleusaille : en présence du préfet !

La portière claqua, la voiture fit demi-tour et s'en alla, soulevant un nuage de poussière blanche. Matthieu était triste. Flamant était parti en crânant, mais que lui reprochait-on ? Le vol des hosties ? Il pressentait quelque chose de plus grave, lié à son passé, et n'avait pas oublié la remarque de l'original lorsque les gendarmes étaient venus le voir la première fois et qu'ils s'étaient cachés dans la grotte : « Ils finiront bien par m'avoir ! »

Le soleil hésitait entre les nuages sombres. Le garçon passa dans sa chambre pour se changer et poser ses vêtements du dimanche dans lesquels il se sentait mal à l'aise : le tissu était trop raide, le col de la chemise l'étouffait et il ne pouvait bouger librement. Pauline s'activait à la cuisine. Comme chaque dimanche, Gustave s'était rasé et lavé, une odeur de savon flottait autour de lui. Armand arriva enfin et s'assit à sa place à table.

– Y a pas à dire, on est bien débarrassé !

Matthieu lui lança un regard méprisant. Les propos de Flamant entre les deux gendarmes lui indiquaient que ce n'était pas un homme ordinaire et qu'il avait sûrement beaucoup de connaissances.

Le Dr Muselier sortit de la maison, regarda, du perron, le nuage noir d'averse sur l'horizon et descendit les marches de ciment, suivi d'Honorine qui s'essuyait les yeux avec son mouchoir. Albert était là aussi, son béret sur le côté, les yeux baissés. Il portait une espèce de pelisse qui cachait sa ceinture et en faisait un autre homme en épaississant sa silhouette. Son nez pointu semblait plus grand que d'habitude. Le docteur soupira. Il était petit et rond, son visage était lisse, son regard bon.

– Je ne peux plus rien, même si...

Il n'acheva pas sa phrase. Honorine se mit à pleurer sans retenue.

– Je vais envoyer l'ambulance ! poursuivit Muselier. Il faut l'hospitaliser d'urgence !

L'état de Marion n'avait cessé de se dégrader depuis le mois de septembre. Elle était devenue si faible qu'elle ne pouvait plus quitter seule sa chambre. Quand il faisait beau, les après-midi, sa grand-mère l'installait à l'ombre du tilleul sur une chaise longue. Matthieu lui rendait de fréquentes visites. Il avait bien essayé de voler d'autres hosties, mais le curé surveillait la petite entrée de la sacristie.

L'ambulance arriva vers cinq heures de l'après-midi. Matthieu, qui gardait les vaches, avait abandonné son troupeau pour se faufiler dans le chemin creux et se cacher derrière l'épaisse noisetière à côté du poulailler d'Honorine. Il voulait voir une dernière fois Marion avant qu'elle partît pour l'hôpital. Quelque chose lui disait qu'il ne la verrait plus et une douleur diffuse et puissante comme il n'en avait jamais ressenti grandissait dans son corps, paralysait ses mouvements, écrasait sa poitrine.

Quand il vit arriver la voiture, il eut la tentation de se montrer, mais ne bougea pas. Deux hommes vêtus de blouses blanches sortirent du véhicule, ouvrirent le battant arrière et prirent une civière. Matthieu avait froid et claquait des dents. Quand la civière sortit de la maison, portée avec précaution par les deux infirmiers, il vit, sur le blanc du tissu, les cheveux noirs de Marion. Alors il se détendit et poussa un cri qui libérait le poids de sa poitrine. Un cri plein d'un désespoir qui faisait mal et déchirait par son intensité. Les infirmiers se tournèrent et virent le garçon courir vers eux. Pour Matthieu, plus rien au monde n'existait que cette civière trop blanche et absurde. Il s'approcha ; le petit visage fripé de Marion dépassait du drap qui la recouvrait.

Alors elle ouvrit les yeux. Des rides s'étaient formées autour de ses paupières ; la peau de ses joues laissait voir tout un réseau de veines d'un bleu que la maladie épaississait. Quand Marion vit Matthieu, ses lèvres sèches sourirent et un peu de lumière passa sur ses pupilles pleines d'une résignation d'adulte, d'une pensée trop grave pour une adolescente de douze ans : « Tu vois, c'est elle la plus forte. On ne lui échappe pas ! le combat est perdu d'avance ! »

– Marion, il faut que tu guérisses ! fit Matthieu en se penchant vers elle. Tu comprends qu'il faut que tu guérisses !

Honorine répéta : « Ma pauvre petite ! » et joignit les mains. Albert serrait les dents. On ne savait pas à qui s'adressait sa colère, à la fatalité ou à son fils absent dans les pires moments. Matthieu accompagna la civière jusqu'à la voiture.

– Il faut que tu guérisses, tu comprends !

Marion tendit sa main de porcelaine vers lui. Il la saisit et la serra, comme pour lui communiquer sa force, sa bonne santé.

Les infirmiers chargèrent la civière, la porte claqua. Ils saluèrent Albert et Honorine puis montèrent dans la voiture qui démarra et partit lentement. Pauline était sortie sur le pas de sa porte. Matthieu regarda le véhicule jusqu'à ce qu'il disparaisse derrière le tournant, alors il lui sembla que la terre tremblait sous ses pieds. Sa mère mourait pour la deuxième fois.

Une larme roula sur sa joue puis une autre, un sanglot souleva ses épaules.

– Eh bien, quoi, tu pleures ?

C'était la première fois que Pauline voyait Matthieu pleurer. Il était dur au point de supporter les pires fessées, les punitions, sans jamais avoir le moindre regret. Et voilà qu'il se montrait capable de sentiments !

Mû par un réflexe de pudeur, le garçon s'éloigna sans un mot, descendit par le petit chemin de la fontaine, passa près de la mare sans faire attention aux grenouilles qui sautaient à l'eau avec un bruit de caillou et courut jusqu'au vieux noyer creux. Il déplaça la sciure fine qui se trouvait dans le fond et trouva le trésor de Marion plié dans du papier journal, un bracelet, une chaîne, une bague, une montre, le vase précieux du château, un briquet, le ciboire... Tout cela était à Marion, pour le plaisir de ses yeux, pour qu'elle sourie, pour qu'elle soit heureuse l'instant d'un regard. Il regrettait maintenant de ne pas lui avoir apporté plus de bijoux, plus de beaux objets qui auraient illuminé son âme et son cœur, car il savait que la leucémie ne s'attaquait pas aux gens heureux. Désormais, tout ça ne servait plus à rien ; il eut la tentation de le restituer.

Il s'éloigna, regagna le pré bas où paissaient les vaches. Le ciel était gris, menaçant, la pluie viendrait avant demain. Il souhaitait un orage, une tempête, une tornade détruisant tout sur son passage.

Le soir, il mangea sans lever la tête de son assiette, insensible aux regards curieux de sa grand-mère qui s'étonnait encore de l'avoir vu pleurer, puis il partit se coucher sans desserrer les dents. Une fois au lit, la fraîcheur des draps le surprit. Il ne pouvait détacher ses pensées de l'ambulance et de la civière sur laquelle Marion était allongée. Le sourire de la fillette lui faisait mal, plaquait dans l'ombre de la chambre son acceptation d'une fatalité ignoble. Matthieu en ressentait l'injustice mieux que les autres parce que ses grandes oreilles, l'absence de sa mère lui avaient été données par punition de naissance, avant même qu'il mérite le bonnet d'âne.

Il ne pouvait dormir. Les lèvres craquelées de Marion se déchiraient pour lui sourire. Elle allait mourir et Dieu, l'infâme, ne devait avoir rien à lui reprocher. À cette heure, Matthieu prenait pour lui toutes les fautes de la jeune fille, ses sourires heureux quand il lui apportait un bijou volé.

Il se dressa sur les coudes ; la nuit l'écrasait de son silence menaçant. La peur se ballottait en lui, lourde, cette peur irraisonnée des bois profonds, de la cave humide. Pourtant, il devait se lever. Ne pas le faire aurait été la pire des lâchetés, celle qui aurait entraîné la fin de Marion. Vaincre la nuit qui l'entourait, c'était s'oublier pour ne penser qu'à elle.

Il s'habilla en silence, marcha en retenant ses pas pour ne pas faire craquer le plancher jusqu'à la fenêtre. Tulipe, la jeune chienne enfermée dans la remise, se mit à gémir. Pourvu que Pauline ou son père ne l'ait pas entendue ! Il ouvrit la fenêtre, le bois grinça puis le battant se libéra sans bruit. Il enjamba le mur et se retrouva dehors, face à une nuit trop noire, un ciel menaçant où couraient des ombres, de vagues lumières qui se déplaçaient en désordre. Tant pis, il devait y aller !

Sa main se referma sur le bâton qu'il avait posé près de la porte. Il avançait dans le chemin, le bâton dressé, prêt à frapper, mais que pouvait cette arme ridicule contre les habitants de la nuit, sans corps, âmes perdues, ennemies des êtres de chair et surtout des jeunes garçons à qui appartient le temps ?

Le chien d'Albert aboya; c'était un braillard et personne n'y prêtait attention. Le plus difficile restait à faire : parcourir les cinq cents mètres qui le séparaient du village, une route étroite entre deux hautes haies vives. Il pensa un instant courir sans respirer comme s'il s'arrêtait de vivre. Il hésitait quand la lune sortit entre deux nuages sombres, inondant la campagne d'une lumière jaune et bleu pleine d'étincelles. Alors des ombres se mirent à courir, se courser, se rattraper, des ombres aux bras infinis, aux mains larges munies de doigts crochus. Matthieu tremblait, recroquevillé près de la haie, n'osant pas avancer, quand la lune se cacha de nouveau. Une nuit épaisse engloutit les collines et les bruits prirent de l'ampleur. Matthieu entendait nettement le cliquetis des chaînes que quelque fantôme secouait. Jamais il n'aurait le courage d'aller plus loin !

Le visage flétri de Marion, le dernier sourire qu'elle lui avait adressé le décidèrent. Il regarda le ciel. Maintenant, la lune courait derrière des nuages fins qui se remplissaient de lumière. Matthieu aspira alors à pleins poumons l'air frais, bloqua sa respiration et partit en courant à toutes jambes. Il lui semblait qu'un fantôme ou quelque revenant le talonnait et il courait toujours plus vite. Il arriva, haletant, à la mairie-école encore allumée à l'étage : Mme Pelletier n'était pas couchée, Matthieu vit son ombre bouger sur les rideaux de la fenêtre. Il s'arrêta, hors d'haleine. Chaque inspiration le brûlait jusqu'au fond de la poitrine. Il poursuivit sa marche en restant dans l'ombre du fossé, car il redoutait de se faire surprendre : le bistrot était encore allumé. Il passa très vite devant l'atelier de Lucien Dumaillet, traversa la place en serrant les dents.

Le clocher, noyé dans la nuit du ciel, l'écrasait de sa présence invisible, mais Matthieu touchait au but, il pensa à Marion et sa colère redoubla.

Il poussa le lourd battant. La fraîcheur de l'intérieur le surprit. Il hésita avant d'avancer dans l'allée centrale. De chaque côté, il devinait les rangées de chaises, toute une assemblée d'âmes venues là écouter le souffle profond de l'éternité. La petite lumière sur l'autel semblait le regarder, le défier. Il marcha vers elle ; ses pas roulaient un bruit qui s'amplifiait, devenait grondement du tonnerre, avalanche. Au bas de l'autel, sa rancœur éclata, d'abord à voix basse, puis de plus en plus forte.

– Qu'est-ce qu'elle vous a fait, hein ? Et ma mère qu'est-ce qu'elle vous avait fait ?

Il écouta le silence, comme s'il attendait une réponse, mais Dieu, une fois de plus, le méprisait en ne se justifiant pas. Que s'était-il imaginé ? Qu'une apparition allait venir le rassurer, et lui prendre la main ? Matthieu regrettait d'être venu, d'avoir cédé à une faiblesse insensée. Il n'était pas du côté des saints, mais du diable et en avait conscience.

– Vous devez bien vous amuser ! cria-t-il encore le poing tendu vers la lumière rouge.

Il se libérait d'une rage profonde venue du fond des âges, un grief enfin formulé au nom de tant de victimes innocentes. Sa voix se brisait, se multipliait. Toute une armée de Matthieu demandait des comptes !

– Et pour les hosties...

Une lumière intense éclaira tout à coup la nef. Matthieu se dressa et voulut fuir, le curé Brissac lui coupa la retraite. Le garçon courut dans la sacristie, mais la petite porte était fermée à clef. Il était pris, poisson dans la nasse.

– J'ai tout entendu ! tonna Brissac. Sacrilège ! Comment tu oses t'adresser ainsi à Dieu lui-même ! Tu ne respectes donc pas ton créateur !

– Laissez-moi, j'ai rien fait !

Le curé réussit à saisir Matthieu qui se démenait de toutes ses forces.

– Cette fois, je te tiens et je suis pas près de te lâcher. Tu vas payer !

Brissac était persuadé qu'il tenait le voleur d'hosties et le coupable des récents vols. Insatisfait de ses méfaits, Matthieu poussait le sacrilège jusqu'à défier Dieu dans Sa maison ! Ce laideron était donc l'incarnation du mal !

– Tu seras excommunié et tu iras en enfer !

– Je m'en fous ! cria Matthieu de sa voix stridente qui tranchait la nuit comme une lame.

Une gifle appuyée claqua. Brissac, qui n'avait pas l'habitude de mâcher ses mots, était pour des méthodes d'éducation musclées.

– Le voleur d'hosties va devoir comparaître devant ses juges !

Brissac était satisfait. Il n'était pas très grand ni bien large d'épaules, mais vif et robuste. Il maîtrisa Matthieu et le poussa vers le presbytère. En traversant le jardin, le garçon criait, réveillant tout le village. Sa voix aiguë montait jusqu'aux nuages, jusqu'à une poignée d'étoiles qui apparut un instant avant de se cacher.

– Il n'est plus question, évidemment, que tu ailles chez les jésuites. Le tribunal te jugera !

Il poussa Matthieu dans une pièce, sorte de débarras, qu'il ferma à clef.

– C'est la prison qui t'attend !

Pour Matthieu une autre vie allait commencer...

Deuxième partie

Les toits de la ville

Matthieu Moncet fit quelques pas dans la rue et s'arrêta en face de l'imposante cathédrale Saint-Front. La lourde porte du centre d'éducation surveillée de Périgueux venait de se fermer derrière lui avec son bruit de fer râpé, de barrière infranchissable. Le soleil d'avril, plus vif qu'à l'intérieur des murs épais, l'éblouissait. Dans le centre, le ciel était toujours caché en partie par des toits trop larges, des barrières trop hautes.

Matthieu était enfin libre après cinq années d'un internat autrement plus sévère que celui des jésuites. Au procès qui suivit la découverte des vols, les juges ne l'avaient pas épargné. Des psychologues, des éducateurs l'avaient examiné et compris les blessures de son enfance. Ils avaient aussi mesuré son intelligence et pensèrent que plusieurs années d'un internat strict pouvaient le servir et ils avaient eu raison. L'enfant sauvage qui ne voulait rien apprendre à l'école communale de Peyrolles, tenu par une discipline de fer, avait pu passer son brevet des collèges et faire avec succès une année de seconde et de première. Le petit caractériel qui dissipait la classe de Mme Pelletier s'était révélé un excellent élève !

Pour cette raison, les éducateurs souhaitaient le placer dans un lycée pour qu'il passe le bac. Matthieu avait refusé avec tellement de véhémence que personne n'avait insisté. Il ne voulait plus entendre parler d'internat, de vie en collectivité et souhaitait travailler pour être indépendant.

En muant, sa superbe voix d'enfant s'était envolée. Il ne chantait plus avec autant de grâce, mais ses dispositions naturelles pour la musique lui avaient permis d'atteindre un bon niveau en piano. Il avait toujours cette mémoire étonnante qui lui permettait de retrouver et de jouer un air entendu une seule fois. C'était sa manière à lui d'occuper les longues heures d'oisiveté les dimanches après-midi. Il ne s'était lié avec personne et le Têtard de Peyrolles était naturellement devenu le Têtard du centre de rééducation. Au début, il s'était beaucoup battu, mais l'odeur putride des « isoloirs » dans lesquels les éducateurs l'enfermaient lui rappelait trop la cave de sa grand-mère. Il avait pris l'habitude de la moquerie et s'était replié dans les livres.

Il devait retourner à Lachaud, mais n'en avait pas envie. En cinq années, sa grand-mère lui avait écrit une dizaine de lettres. Elle était venue le voir quelques fois, mais ils n'avaient rien à se dire et les visites étaient toujours de courte durée. À la mort subite de son grand-père, le jeune homme avait refusé de se rendre à l'enterrement.

La dernière lettre de Pauline datait d'à peine huit jours; elle écrivait qu'il pouvait revenir à la maison où beaucoup de choses avaient changé depuis le départ de Gustave, mais ne donnait aucune précision.

Sa nouvelle liberté pesait tout à coup à Matthieu. L'enfant libre de Lachaud qui ne supportait aucune contrainte avait si bien été « dressé » qu'il se trouvait démuni loin des surveillants, des barrières, des ordres à exécuter.

Il se rendit à la gare ; son billet pour Tulle était dans sa poche et le train partait dans moins d'une heure. Marcher sur le trottoir l'angoissait. Le moindre regard posé sur lui le brûlait : il sortait du centre de rééducation et tout le monde le voyait à ses cheveux courts, ses vêtements mal ajustés et son air de voyou, cet air qui se prenait malgré soi quand on passait quelques saisons derrière de hauts murs.

Une question le brûlait, mais il n'avait aucun moyen d'en connaître la réponse. Qu'était devenue Marion ? Pendant son procès, Matthieu n'avait pas dit un mot sur la jeune fille et avait refusé d'expliquer pourquoi il avait volé les hosties, ce qui avait pesé lourd dans le jugement final.

Chaque jour, durant ces cinq années qui, finalement, avaient passé bien vite, Matthieu avait pensé à Marion, à son dernier regard avant que se ferment les portes de l'ambulance. Où était-elle ? Avait-elle vaincu sa maladie ? Il ne voulait pas imaginer d'autre issue et redoutait une vérité brutale, raison pour laquelle il n'avait jamais, dans ses rares lettres, demandé la moindre nouvelle à sa grand-mère. Enfermé, il restait à l'abri d'une vérité crue, isolé du monde, son ignorance forcée laissait la place à tous les espoirs.

Il monta dans le train comme un automate, l'esprit ailleurs. À mesure qu'il se rapprochait de son village, il retrouvait les anciennes querelles, les rancœurs accumulées et mises en sommeil pendant cinq ans. À la mort de son grand-père, Pauline avait su trouver des mots qui l'avaient touché. Elle perdait une partie d'elle-même et il comprit que la vieille femme, malgré son apparente indifférence, sa rudesse, avait du cœur. Mais elle ne pouvait pas échapper au travers de se plaindre : « Ton père me fait de gros soucis. Ce n'est guère plus qu'un enfant et il a moins d'idée que Tulipe. »

Matthieu n'avait pas l'intention de rester longtemps chez Pauline. Pendant les derniers mois d'internat, il avait réfléchi à son avenir. Il allait prendre une chambre à Tulle, chercherait du travail et préparerait son bac pour l'année suivante. Sa place n'était plus à Lachaud, d'ailleurs y avait-elle été un jour ?

En arrivant à Tulle, un grand tumulte envahit le jeune homme. Son cœur battait de plus en plus fort, des frissons parcouraient son dos. Quand le wagon s'arrêta au bord du quai dans un bruit aigu de freins, il dut attendre quelques secondes avant de se lever de son siège. Il trébuchait, faillit tomber en descendant du marchepied. Il était chez lui, dans cette vallée encaissée qui remontait jusqu'à la Vimbelle et le hameau de Lachaud. La ville restait la même, la route de Laguenne tournait toujours dans le même sens ; au carrefour, le même feu clignotait, en face du même marchand de légumes qui avait disposé ses cageots sur le bord du trottoir. Matthieu se dirigea lentement vers l'arrêt du car qui devait le conduire à Peyrolles. Au-dessus des toits, la bande de ciel était grise. Il ne faisait pas froid, mais un peu de vent courait dans la vallée et avivait les joues.

À Peyrolles, le car s'arrêta à côté du bistrot. De son atelier, Léon Dumaillet vit Matthieu en descendre. Le menuisier en fut tellement étonné qu'il laissa échapper le morceau de bois qu'il rabotait et s'approcha de la fenêtre aux carreaux poussiéreux d'où il pouvait voir la rue sans être vu. Le Têtard avait beaucoup changé. Le nabot avait grandi ; ses épaules s'étaient élargies, ce qui fit penser à Léon que la nourriture était bonne dans les centres pour délinquants. Matthieu avait perdu ses grosses joues d'enfant ; ses oreilles paraissaient plus petites, mais cela ne suffisait pas à le rendre beau. Son air de voyou n'échappa pas à Léon qui n'oublierait pas de fermer ses portes à clef.

Matthieu arriva à Lachaud sans croiser personne : les gens s'écartaient sur son passage pour ne pas avoir à le saluer et le regardaient de loin avec curiosité. Le vol des hosties avait fait beaucoup de bruit, les journaux en avaient parlé, la honte s'était abattue sur la famille Moncet. Depuis, on ne parlait de Matthieu qu'à mots couverts ; les bigotes se signaient.

À Lachaud, Honorine, qui ne s'attendait pas à son retour, ne put l'éviter. Le jeune homme la salua et constata qu'elle n'avait pas changé même si son visage était un peu plus ridé, son dos un peu plus voûté.

– Ah ! te voilà ! dit la femme en montant l'escalier de sa maison.

Matthieu lui sourit et fut rassuré. Si Marion était morte, il l'aurait lu sur cette figure sèche entourée de cheveux blancs. La démarche d'Honorine, son pas sûr dans l'escalier n'étaient pas de quelqu'un qui a perdu un être cher.

Avant de pousser sa porte, elle se tourna vers le jeune homme, le parcourut d'un regard curieux et s'étonna qu'il fût aussi grand et tellement changé.

– Pour une surprise ! ajouta-t-elle avant d'entrer.

Elle fuyait, comme tous ceux que Matthieu n'avait vus que de dos depuis son arrivée. Chez sa grand-mère, Tulipe, qui était couchée dans la cour, le reconnut et vint lui faire la fête comme s'il était parti la veille. Rien n'avait changé : seul le tilleul avait été taillé et de jeunes pousses partaient des moignons de branches. Matthieu s'approcha de la porte et hésita avant d'entrer. Un raclement de gorge qu'il connaissait bien le décida. Pauline préparait le repas. Elle tisonnait son feu et, entendant du bruit, se tourna, croyant que c'était le facteur. Elle resta figée, sa pincette à la main.

– Mon Dieu !

Matthieu reconnut la marmite de fonte, les casseroles sur la cuisinière. Sur l'évier séchaient les assiettes à liséré rouge et bleu dans lesquelles il mangeait cinq années plus tôt. Une odeur tenace de lait caillé prenait à la gorge, cette odeur d'enfance pour Matthieu qui, autrefois, ne sentait que son absence quand il allait dans une autre maison. Pauline à son tour parcourait du regard la silhouette du jeune homme qui se découpait dans la porte. Elle n'en revenait pas : comment avait-il pu en cinq ans se transformer de la sorte ?

– C'est que...

Enfin, elle posa la pincette et vint embrasser machinalement son petit-fils. Ses épaules de bûcheron s'étaient affaissées, ses joues pendaient de chaque côté de son large menton barbu. Elle avait vieilli plus que les autres et son corps massif s'était fondu dans des vêtements qu'elle n'avait pas remplacés et qui étaient désormais trop grands. Elle dit enfin :

– On savait que tu devais sortir, mais on t'attendait pas de sitôt.

Elle retourna à sa marmite où chantaient des oignons dans la graisse. Une agréable odeur s'en dégageait et Matthieu pensa qu'il avait faim.

– C'est que tu es devenu un sacré bougre ! Mais ça n'efface pas la honte.

Pauline avait beaucoup souffert de tout le bruit qui s'était fait autour des vols ; le dimanche, elle ne parlait à personne et rentrait chez elle dès la messe finie. L'ombre de Matthieu la suivait partout et l'accusait malgré elle.

– On a beau dire, mais c'est comme la prison ce que tu as fait. On a de l'honneur, nous, et les gens nous regardent pas comme avant.

Matthieu rougit ; il eut envie de repartir aussitôt, sans prendre le temps de poser son sac. Il avait, cependant, appris à contenir ses colères et dit calmement :

– Puisque c'est comme ça, je vais repartir !

– Et où tu iras ?

– Avec ceux qui font honte, ceux qu'on ne regarde pas de peur de se salir les yeux !

– Je t'ai pas dit ça pour que tu partes.

Elle se dressa de nouveau. Matthieu vit dans son visage une expression qu'il ne lui connaissait pas et qui l'étonna. Pauline acceptait désormais la fatalité qui la faisait grand-mère d'un voleur. Elle se sentait coupable de ne pas avoir su élever Matthieu, comme elle n'avait pas su élever Armand.

– Va poser ton sac dans ta chambre ! dit-elle en retournant à sa marmite.

Midi approchait. Armand, qui n'était venu le voir qu'une seule fois à Périgueux, entra. Matthieu ne put contenir un mouvement de surprise. C'était un vieux au dos cassé, au visage buriné de profondes rides. Ses yeux qui larmoyaient continuellement avaient trouvé dans la déchéance une lumière, une profondeur qu'ils n'avaient pas autrefois. Pauline tonna :

– Te voilà enfin ! Où étais-tu allé traîner ? Et tu es saoul, comme d'habitude !

– Qu'est-ce que tu me veux, toi, la vieille ?

Puis enfin, il regarda Matthieu. Ses yeux s'agrandirent, il sourit.

– Faut croire que la soupe était bonne là-bas ! dit-il d'une voix rauque.

Il avança en traînant ses chaussures jusqu'au placard, prit une bouteille de vin, deux verres et dit :

– L'éducateur qui est venu me voir m'a bien averti : à la première bêtise, tu vas en prison. Assieds-toi, on va trinquer !

Pauline se dressa de sa marmite et reprit des mains de son fils la bouteille qu'elle posa à l'autre bout de la table. Elle ouvrit la porte du placard et en sortit trois assiettes.

Matthieu n'en revenait pas. Il s'attendait à tout, sauf à retrouver son père ainsi. Le benêt qu'il avait connu, celui qui ne savait que dire oui, qui vivait dans l'ombre des autres, avait trouvé enfin la force de protester, le courage de laisser éclore sa véritable nature qui était celle d'un ivrogne. Il en devenait presque sympathique. Il invita de nouveau Matthieu à s'asseoir. Pauline apporta la soupe.

En mangeant, elle ne quittait pas des yeux le verre de son fils. Elle tenait la bouteille de vin de son côté et le servait parcimonieusement.

– C'est qu'elle me mène la vie difficile ! dit Armand. Elle connaît que le boulot !

Matthieu se taisait. Il observait ces deux êtres à la dérive à qui il ressemblait par bien des aspects. À la fin du repas, Armand prit son béret posé sur le dossier de sa chaise et dit à Matthieu :

– Viens donc avec moi ! On va aller labourer, on sera plus tranquilles.

Le ciel était d'un gris léger, lumineux. Quelques oiseaux chantaient dans les noisetiers. L'air sentait le fumier épandu sur la terre qui fermentait. Dans la grange dont Armand ouvrit en grand les portes, Matthieu découvrit un tracteur rouge aux larges pneus dentés de solides crampons.

– Oui, dit Armand, on l'a acheté l'année dernière. À crédit, bien sûr, parce que c'est pas facile ici !

En cinq années, la campagne avait changé. Autrefois, les collines résonnaient des voix chantantes des laboureurs qui encourageaient leurs bœufs, désormais, le bruit des moteurs les avait remplacés.

Armand monta sur le tracteur, démarra le moteur, enclencha la marche arrière.

– Monte sur la barre d'attelage ! dit-il à Matthieu.

Le jeune homme obéit et le véhicule partit dans la rue principale du hameau. À la hauteur de la maison des Lagrange, il vit de nouveau Honorine qui le regardait curieusement ; Albert se dressa dans son potager. Il portait toujours la même ceinture de flanelle qui divisait son corps en trois parties, le torse court, surmonté de sa tête maigre aux cheveux blancs, l'estomac et le ventre cachés par les enroulements du tissu grossier, et le pantalon sombre.

Au lieu de prendre le chemin de terre qui conduisait au champ à labourer, Armand poursuivit sa route vers Peyrolles. Il arrêta sa machine devant la menuiserie de Léon Dumaillet.

– Viens, on va aller boire un verre. Ça donne des forces avant d'attaquer le boulot !

Armand descendit du tracteur et entra dans le bistrot. Il était toujours aussi dégingandé. Matthieu le suivit, gêné par les regards posés sur lui, des regards curieux et parfois apeurés.

Adèle Masson était occupée à balayer la salle. Elle ouvrit de grands yeux en apercevant le jeune homme et ne répondit pas au bonjour d'Armand.

– Adèle, donne-nous un verre, on est pressés !

– Vous voulez encore boire ? Je plains votre pauvre mère !

– Donne-nous un verre, on te dit !

Armand s'accouda au comptoir. Il sortit de sa poche un paquet de cigarettes et le tendit en direction de Matthieu.

– Tu fumes ?

– Non. On n'avait pas le droit !

– Prends-en une quand même, l'habitude vient vite !

– Vous n'avez pas honte ! s'exclama Adèle en versant le vin dans les deux verres posés sur le comptoir.

Armand ne l'entendait pas. Il se tourna de nouveau vers Matthieu et commença :

– Depuis que ton grand-père n'est plus là, ta grand-mère est devenue complètement insupportable.

Armand porta le verre à ses lèvres, aspira le liquide.

– Elle n'arrête pas ! Je peux même pas boire à ma soif !

Matthieu avala une gorgée de liquide piquant et osa :

– La petite Marion, qu'est-ce qu'elle est devenue ?

Armand haussa ses épaules maigres.

– Elle va bien ! Ils l'ont envoyée à Paris dans un grand hôpital. Ils lui ont fait un nouveau traitement... Paraît qu'elle avait perdu tous ses cheveux...

– Ah ! Et ils ont repoussé ?

– Quoi, ses cheveux ? Oui, on l'a vue l'autre dimanche. Ça fait trois ans qu'elle est guérie.

– Et Roger Flamant, celui qui vivait dans une roulotte en bas de l'ancienne scierie ?

– Bah, je sais pas. L'année dernière, il est revenu, tout fier, avec sa barbe blanche sous son large chapeau. Il a traversé Peyrolles en bombant le torse. Il est descendu à sa roulotte, puis il est parti et on l'a pas revu !

Armand posa son verre vide, s'essuya les lèvres à la manche de sa veste et sortit une pièce de sa poche. Il se dirigea vers la sortie. Matthieu le suivit. Le jeune homme était moins grand que son père, mais beaucoup plus large, plus solide sur ses jambes.

Adèle, sur le pas de la porte, les regardait s'éloigner. Léon Dumaillet se planta au bord de la route.

– Voilà qu'ils l'ont lâché et c'est pas son père qui va le retenir ! dit Adèle en soupirant.

– La vermine s'en tire toujours ! ajouta Léon en fourrant ses mains dans les poches.

Matthieu ne voulait pas rester à Peyrolles où il ne se sentait pas chez lui. Les gens l'évitaient, l'observaient de loin et se méfiaient. Chacun s'attendait à se faire dévaliser et fermait ses portes à double tour. Pauline ne cessait de maugréer, de s'emporter contre Armand et faisait comprendre à Matthieu que sa place n'était plus ici :

– Qu'est-ce que tu en tirerais ? Paysan n'est pas un métier d'avenir !

– Sois tranquille, je n'ai pas l'intention de rester !

Le jeune homme se rendit à la clairière du père Flamant. Le sentier qu'il empruntait autrefois avait disparu sous les ronces et les fougères. La roulotte était toujours là, noyée parmi les touffes d'aubépine. Un frêne avait poussé devant la porte comme pour bien indiquer que la forêt reprenait ses droits. Il ne restait aucune trace des chemins que Flamant avait tracés. Le potager n'était plus qu'un roncier. Matthieu s'éloigna de ce lieu où la végétation s'efforçait d'effacer les traces du passé avec le sentiment qu'il était désormais d'ailleurs.

La pensée de Marion le harcelait. La jeune fille était guérie et pouvait vivre comme tout le monde. En cinq ans, tant de choses avaient pu se passer ! Il voulait pourtant la revoir.

Au bout de quelques jours, il décida de chercher du travail. Il avait quitté Périgueux avec un petit pécule qui lui permit de s'habiller correctement. Un matin, il prit le vélo qui avait appartenu à son père et s'en alla à Tulle. Il acheta le journal, consulta les petites annonces. Il releva plusieurs adresses dont celle d'une importante étude de notaire qui cherchait quelqu'un pour faire les courses. Il s'y rendit et fut aussitôt introduit dans un bureau où un homme de petite taille et tout rond le reçut. L'homme était chauve, la peau rouge de son crâne brillait. Ses épaisses lunettes lui faisaient des yeux ronds et sans expression.

– Le travail est simple, dit-il. Vous devez aller chercher le courrier à la poste, le trier, apporter des plis dans les différentes administrations et aux clients importants.

Matthieu expliqua qu'il avait un niveau de première et qu'il souhaitait faire sa terminale par correspondance pour passer son bac. L'homme aux yeux ronds approuva :

– C'est très bien ça ! Ici, vous aurez du travail, mais quand vous serez bien rodé, vous pourrez trouver un peu de temps pour étudier.

Matthieu se voyait déjà dans cette place qui lui convenait quand l'homme lui demanda où il avait fait ses études. Matthieu baissa la tête et dit, honteux :

– Au centre d'éducation surveillée de Périgueux !

L'autre se dressa. Son visage se contracta. Il posa ses petites mains potelées sur le bureau, puis, se dirigeant vers la porte, demanda à Matthieu de l'attendre quelques instants. Il sortit et revint presque aussitôt.

– Vous me voyez bien triste de ne pouvoir vous embaucher. Mais M. Guérint a déjà retenu quelqu'un.

Matthieu savait que l'homme mentait et le rejetait à cause de son passé. Il sortit, désappointé, puis se dit que les places ne manquaient pas et se rendit à une nouvelle adresse.

Un grand garage près de la gare cherchait un aide magasinier pour ranger et déballer les pièces de rechange. Le chef d'atelier qui le reçut portait une blouse bleue et avait un regard sévère, les lèvres pincées sous une moustache fine. Il lui demanda d'emblée d'où il venait et ce qu'il avait fait jusque-là. Quand Matthieu eut avoué qu'il avait été condamné pour vol, l'homme lui montra la porte :

– Pas de ça chez nous ! On est une maison sérieuse !

Le soir, Matthieu était découragé. Il avait été éconduit partout et perdait espoir. Jamais il ne trouverait du travail à cause de son passé. Les employeurs se méfiaient de lui. Il remonta à Lachaud où Pauline, constatant son échec, commença par s'emporter.

– Fallait réfléchir avant de faire des bêtises !

Puis elle se tut un long moment et changea de ton :

– Ceux qui t'ont renvoyé ne valent pas que tu travailles pour eux. Faut recommencer, il n'y a pas que des imbéciles sur la terre !

Armand n'était pas de cet avis. Le benêt avait trouvé dans le vin la force de contrarier sa mère, surtout qu'il ne souhaitait pas que Matthieu quitte la ferme.

– Qu'est-ce que tu t'embêtes ! dit-il en remplissant son verre. Le travail ne manque pas ici.

– Et qu'est-ce qu'il fera ? demanda Pauline. Un ivrogne comme toi ?

– Je suis mineur... Il me faut des autorisations !
– Tu les auras toutes ! dit Pauline en posant son regard sévère sur Armand.

Le lendemain, il recommença sa quête, mais chercha à un niveau inférieur. Il se fit éconduire par un boulanger qui avait besoin d'un mitron et estima qu'un ancien voleur était forcément un fainéant, par un charcutier qui ne le voyait pas travailler la viande. Vers midi, dégoûté, Matthieu déambulait le long de la Corrèze avec, en tête, l'idée d'aller à Brive pour tenter de voir Marion quand il frappa par hasard à la porte de Paul Béruget, artisan couvreur. L'homme rentrait d'un chantier pour déjeuner. Il était petit et maigre, le regard volontaire et fixe sous sa casquette.
– Tu cherches du travail ? Ça pourrait m'intéresser, en effet. J'ai besoin de gars qui n'ont pas peur du vide. Je suis en train de réparer une partie du clocher de la cathédrale. Ça te dit ?
Matthieu connaissait à l'avance la réponse quand il parlerait de son passé, aussi préféra-t-il en finir au plus vite :
– C'est que... j'ai fait cinq années dans un centre d'éducation surveillée.
Les yeux marron de Béruget s'agrandirent avec une expression curieuse.
– Tu veux dire une maison de correction ?
– C'est à peu près ça !
– Là-haut, on est tous au même point ! Il faut avoir le pied sûr pour ne pas faire le saut, le reste, on s'en fout ! Et qu'est-ce que tu avais fait ?
– J'ai volé des hosties !
Paul Béruget éclata de rire.

– Un voleur d'hosties ! C'est pas banal ! Et tu as pris seulement cinq ans ? Tu as eu de la chance, la curetaille, ça a la main lourde quand il faut taper sur un malheureux ! Si tu veux travailler avec moi, tu apprendras un métier de grand air et tu pourras leur pisser dessus, aux curés !

Matthieu se sentit plein de reconnaissance auprès de cet homme qui l'accueillait et riait de ses forfaits. Il remercia Béruget qui lui donna rendez-vous le lendemain matin.

– Je cherche à me loger. Une chambre...

– Va voir la mère Bousquet de ma part. Elle est au 10 de la rue Périé. C'est de l'autre côté de l'eau, près de la préfecture.

Matthieu était heureux en traversant la rivière sur le pont de la Barrière. Il renaissait à la vie, devenait un être ordinaire et quittait son isolement, son état de voleur, de rebut bon à enfermer. Un soleil timide passait entre les nuages, l'air était très doux et incitait à la promenade.

Madeleine Bousquet était grande et maigre, ses cheveux frisés entouraient sa tête haute de boucles grises serrées. Au premier abord, son regard sévère, ses lèvres fines n'inspirèrent pas confiance à Matthieu qui resta sur ses gardes. Elle tenait une petite mercerie, cousait aussi, agrandissait les vêtements trop petits, tricotait des gilets. Les femmes des ingénieurs de la manufacture d'armes, les riches commerçants lui donnaient du travail pour l'aider. Son mari s'était tué en voiture, la laissant avec ses quatre enfants, dont un était handicapé.

Matthieu lui expliqua sur le pas de la porte qu'il allait travailler avec Paul Béruget à la réparation du clocher de la cathédrale. Elle ne lui posa aucune question sur son passé dont il ne parla pas.

– J'ai une chambre, bien sûr ! Cette maison est si grande qu'on pourrait y loger un régiment. Mais vous êtes mineur, il me faut une autorisation de votre père.

– Je vous l'apporterai demain.

– Dans ce cas, suivez-moi.

La maison était en deux parties, d'un côté le magasin, l'appartement de Mme Bousquet et, de l'autre, une aile qui se prolongeait dans une petite rue adjacente, constituée d'une suite de chambres que la propriétaire louait et qui lui permettaient de conserver cette grande bâtisse malgré ses modestes revenus. Elle conduisit Matthieu dans un long couloir puis ouvrit une porte sur une pièce qui contenait une grande armoire sombre, un lit, une table en bois blanc et deux chaises.

– Voilà ! dit-elle en allant ouvrir la fenêtre pour chasser l'odeur de renfermé. C'est cinq cents francs par mois, plus l'électricité. Vous avez un radiateur électrique si vous êtes frileux. Dès que vous m'apporterez l'autorisation, je vous donnerai la clef de l'entrée et de la chambre.

Elle sortit, ferma la porte. Dans la pénombre les angles de son visage étaient plus saillants, son regard devenait perçant.

– Trois cents francs de plus pour le petit déjeuner et le dîner du soir.

Matthieu se disait qu'il gagnerait à peine de quoi se loger et se nourrir. Il accepta pourtant avec empressement : enfin, il allait vivre comme il l'avait toujours souhaité, libre, sans devoir rendre de comptes à personne.

Il remonta à Peyrolles, léger. Les côtes étaient moins dures que la veille sur son vélo dont la chaîne grinçait. Une appréhension lui pinçait pourtant le cœur : Marion était désormais une jeune fille, sûrement très belle, et ne pensait plus à lui. La vie, qui s'était arrêtée pour lui derrière les portes du centre d'éducation surveillée, avait continué pour les autres !

Le lendemain, il se présenta au dépôt de Paul Béruget qui l'accueillit avec satisfaction :

– Franchement, je croyais pas que tu viennes. Les gars de ton genre n'aiment pas se salir les mains au travail.

Il était en train de charger sa camionnette, empilait les caisses d'ardoises, les paquets de clous, les crochets et les cordes.

– Une seule consigne, ajouta Paul, t'attacher comme il faut ! Tu as beau couvrir la maison du bon Dieu, il s'en fout et te retiendra pas si tu tombes !

Il rit, découvrant une dent en or sur le côté droit qui ajoutait à son visage maigre une expression d'aisance.

– Mes gars vont pas tarder... Un Italien et un Auvergnat. Gino Grandi et Albert Dupommier. Des artistes de la voltige !

Les deux hommes arrivèrent en effet quelques instants plus tard, Grandi sur sa moto et Dupommier à bord d'une antique voiture qui datait de l'entre-deux-guerres. Matthieu les salua timidement. Grandi avait une belle voix qui mettait de la musique dans ses moindres mots, il était petit, brun, assez trapu. L'Auvergnat ressemblait au patron comme s'il en avait été le frère, un visage sec, des épaules étroites et un vague air d'adolescent attardé. Ils montèrent sur le chargement de la camionnette et Béruget prit le volant.

Un échafaudage entourait le clocher de la cathédrale. Matthieu s'étonna de ne pas l'avoir remarqué la veille. La camionnette se gara près de l'édifice et les ouvriers commencèrent à décharger les caisses. Ils accédaient au chantier par des échelles disposées sur des paliers successifs. Le premier travail consista à monter les ardoises et tout le matériel. Il faisait frais ; le soleil n'était pas encore sorti des collines qui dressent autour de Tulle leurs murs sombres de roches humides.

– Bon, dit Grandi de sa voix qui sonnait dans le matin, tu vas monter les ardoises. Il faut que tu t'habitues.

Matthieu prit une caisse sous un bras et commença à grimper à l'échelle en se tenant d'une seule main. Il atteignit sans difficulté le premier palier à une vingtaine de mètres, se hissa au milieu de la troisième échelle puis s'arrêta. Une force de plomb le retenait, immobile, incapable de monter ou de descendre. En bas, les gens allaient sur le trottoir, comme écrasés ; au-dessus de lui, la flèche du clocher perçait un ciel blanc qui l'attirait, comme s'il allait être englouti par les nuages. Ses bras refusaient de lui obéir. La tête lui tournait dans un vertige infernal.

– Qu'est-ce qui se passe ? demanda Dupommier qui arrivait et chacun de ses mouvements faisait trembler l'échelle.

Matthieu, grimaçant, concentrait toute son attention pour ne pas lâcher prise. L'homme éclata de rire.

– C'est comme ça les premières fois, et puis ça passe, t'en fais pas. Allez avance, on a plusieurs tours à faire.

Matthieu fit un gros effort pour bouger. Il se sentait lourd, maladroit comme un gros insecte pendu dans le vide.

– Ne regarde surtout pas en bas, ni en haut ! Tu regardes l'échelle ou tu fermes les yeux !

Il ferma les yeux, c'était pis. Il fixa son attention sur les montants de l'échelle, mais ne pouvait s'empêcher de regarder le sol. Enfin, après un effort intense et le sentiment d'être ridicule, il réussit à atteindre le deuxième palier.

– T'as qu'à poser ton paquet là. Je vais le monter en haut. Demain, ça ira mieux !

Matthieu eut beaucoup de mal à redescendre. Ses jambes étaient molles, ses mains n'assuraient pas leur prise. Béruget, qui n'avait rien dit jusque-là, expliqua :

– Ça ne sert à rien de te forcer. Il faut quelques jours. Pour aujourd'hui, tu vas te contenter de monter les caisses au deuxième étage. Paris ne s'est pas fait en un seul jour.

Tout en haut, pendus au clocher, Grandi et Dupommier blaguaient en ajustant les ardoises. Matthieu se dit qu'il n'y arriverait jamais.

Finalement, Matthieu s'habitua très vite au vide et put, en moins de deux semaines, grimper au sommet du clocher sans la moindre crainte. Béruget était content de lui, le travail était dur et rebutait généralement beaucoup de jeunes gens qui préféraient aller travailler aux jardins de la ville ou entrer dans l'administration. Matthieu était obstiné à la tâche et se montrait bon compagnon.

– C'est qu'il a su tirer la leçon de ses bêtises ! disait Béruget à Grandi, puis il ajoutait : Tu me diras que voler des hosties, c'est pas une grande bêtise !

Le soir, le jeune homme regagnait sa chambre. Seul pensionnaire, il dînait avec Madeleine Bousquet et ses quatre enfants. L'aîné, Louis, était un simplet à grosse tête, au regard vide, à la lèvre inférieure pendante. Il parlait par sons que seule sa mère comprenait. Le deuxième, Alain, avait dix-sept ans. Il était en terminale au lycée Edmond-Perié et ignora souverainement Matthieu pendant plus d'une semaine. Il ne comprenait pas que sa mère acceptât à la table familiale cet ouvrier couvreur qui rentrait le soir avec les mains bleues de poussière d'ardoise. Sa sœur jumelle, Nathalie, ne lui ressemblait en rien. Alain était grand et maigre, le nez long et pointu, les joues creuses, le regard noir. Nathalie, au contraire, était plutôt petite, très brune : son visage rond ne manquait pas de charme. Son sourire allumait dans ses yeux marron des étoiles espiègles. Elle avait abandonné l'école et préparait un CAP de coiffure. Julie, la petite dernière, âgée d'une dizaine d'années, ne cessait de pleurnicher, de se plaindre, de réclamer. Il lui manquait toujours quelque chose et elle prenait un malin plaisir à pincer Louis qui se mettait à grogner comme un porc dérangé.

Matthieu dit à Mme Bousquet qu'il avait l'intention de reprendre ses études et de suivre des cours du soir. La femme le regarda d'un air soupçonneux :

– Mais vous étiez où avant ?

– Dans un internat ! dit Matthieu sans se démonter. Ma mère est morte alors que j'avais pas trois ans. Ma grand-mère m'avait placé.

– Et pourquoi avez-vous arrêté si proche du bac ?

Matthieu eut un mouvement de tête et poursuivit :

– J'en sais rien. Je voulais être indépendant. J'en avais marre de l'internat. J'avais envie de gagner ma vie ! Maintenant, je le regrette !

Mme Bousquet pinça les lèvres en regardant Matthieu d'un air incrédule, mais n'insista pas. Ce fut Alain qui découvrit la vérité, deux jours plus tard.

– Moi, je sais de quel internat Matthieu vient ! dit-il.

Matthieu sursauta. Il devint blême, baissa la tête. Une fois de plus, il allait être rejeté alors qu'il se plaisait dans cette maison qui sentait le vieux meuble.

– Il était dans un centre d'éducation surveillée.

Madeleine Bousquet vidait le bouillon dans la soupière avec des gestes précis, méthodiques. Une fumée blanche montait jusqu'à son visage maigre penché sur le récipient. Matthieu regardait son assiette et attendait l'exécution comme un condamné, la tête posée sur le billot. Nathalie leva sur lui des yeux curieux et ronds. Alain poursuivit :

– Il a été condamné pour plusieurs vols.

Louis poussa un grognement car il venait de se brûler avec le bouillon trop chaud. La petite Julie boudait : n'ayant pas faim, elle ne comprenait pas que sa mère l'oblige à rester à table. Enfin, Madeleine leva les yeux sur son fils :

– Et tu crois que je ne le savais pas ?

Alain s'étonna et hésita sur l'attitude à prendre, comme s'il était lui-même accusé de médisance. Il croyait déclencher un orage, faire chasser cet étranger qu'il n'aimait pas, et c'était à lui que sa mère s'adressait sur un ton de reproche.

– Tu crois que ce bon Béruget m'envoie quelqu'un comme Matthieu sans m'avertir ? Il faut lui laisser sa chance : il travaille bien, il veut reprendre ses études et, tant qu'il ne fera pas de bêtises, il pourra rester ici.

Alain devint rouge. Tout à coup, il poussa son assiette, le liquide fumant se renversa sur la nappe. Il se leva et s'en alla.

– Puisque c'est comme ça...

– Oui, c'est comme ça ! cria sa mère en servant une deuxième fois Louis qui la regardait de ses yeux d'animal.

Ce soir-là, Matthieu avait chaud au cœur. Il regagna sa chambre léger, heureux comme il ne l'avait jamais été. Tandis qu'il longeait le couloir, Nathalie le rejoignit. Dans la pénombre, Matthieu voyait ses yeux ronds pleins de reflets.

– Il faut pas en vouloir à mon frère. La mort de notre père lui a fait beaucoup de mal.

– Je lui en veux pas ! répondit Matthieu, mal à l'aise, conscient de sa laideur comme chaque fois qu'il se trouvait en face d'une fille de son âge.

– Il ne voulait pas que maman vous loue une chambre. Il voulait être le seul garçon dans la maison. Vous comprenez, il voulait être, comment dire ? Le maître !

Le lendemain, avant de se rendre au travail, Matthieu trouva les roues de son vélo dégonflées. Le soir, au dîner, il ne fit aucune remarque. Alain ne lui adressa pas la parole, mais Nathalie et sa petite sœur s'étaient rapprochées de lui. La fillette lui proposa de jouer aux dominos, ce qu'il accepta, tandis que Nathalie suivait la partie d'un air amusé.

Les deux premiers dimanches, Matthieu monta à Lachaud. Pauline n'avait rien changé à ses habitudes et se rendait à la messe de neuf heures. Par contre, Armand se donnait de nouvelles libertés. Vers onze heures, il partait au village et n'en revenait qu'à midi ou parfois au milieu de l'après-midi, souvent ivre. Pauline rouspétait, mais l'ivrogne trouvait dans le vin la force de se rebeller. Les visites de Matthieu plaisaient à la vieille femme qui racontait à qui voulait l'entendre que son petit-fils avait trouvé du travail et voulait passer le bac. C'était sa manière à elle de relever la tête, d'oublier la honte du voleur d'hosties.

Matthieu espérait surtout revoir Marion. Bernadette et Pierre Lagrange vinrent en effet chez Honorine, mais la jeune fille n'était pas avec eux. Matthieu n'osa pas aller leur parler et il repartit pour

Tulle en début d'après-midi, déçu, comme s'il s'était rendu à un rendez-vous raté.

En passant à Peyrolles, son père qui était au bistrot le vit par la porte ouverte et l'appela. Matthieu éprouvait une certaine pitié pour cet homme seul.

– Mais pourquoi tu passes ton dimanche ici à boire ?

Armand regarda son fils, moins grand que lui, mais droit, solide, bien planté sur le sol. Le visage de l'adolescent n'avait pas perdu toutes les disgrâces qui l'avaient fait surnommer le Têtard, mais son regard franc, son front haut et large lui conféraient le charme des fortes personnalités.

– Et toi, pourquoi tu as volé ?

Cette réponse en forme de question laissa Matthieu sans un mot de réplique. Il se l'était tant posée, il avait trouvé des tas de bonnes raisons, dont la maladie de Marion, mais savait que c'était surtout un prétexte. Il avait volé poussé par un démon intérieur qui n'était sûrement pas mort, mais qui ne prendrait plus jamais le dessus.

– Tout ça c'est du passé ! dit-il enfin en refusant de la main le verre de vin qu'Adèle Masson lui proposait. Je ne recommencerai jamais.

Un vertige le prit, conscient que rien n'était changé, que le combat contre lui-même serait difficile, comme s'il était atteint d'une maladie, une sorte de leucémie de l'âme dont il ne guérirait pas facilement.

– Faut que j'y aille ! dit-il en prenant congé de son père.

À Tulle, il posa son vélo dans le couloir de l'entrée. La fenêtre de sa chambre donnait sur une petite cour intérieure. Le jeune homme vit Louis, le débile, assis en plein soleil qui grognait des sons sans suite. La petite Julie jouait à sauter d'une dalle à l'autre en chantonnant, sa robe légère volait autour de ses jambes grêles.

Il faisait beau : Matthieu décida d'aller en ville pour oublier sa déception de ne pas avoir vu Marion. Il aimait marcher le long de la rivière, regarder les gros poissons près des piles des ponts. Les lilas fleuris épaississaient l'air d'une odeur très agréable.

Comme Matthieu sortait de l'impasse, Alain arrivait en compagnie d'un garçon et de deux filles et commença par se moquer en prenant des airs qui l'enlaidissaient.

– Je vous présente celui qui loge chez moi ! dit-il en se mettant au milieu de la ruelle pour empêcher Matthieu de passer. C'est vous dire que j'ai du mérite !

Les filles, deux brunes qui se donnaient la main, éclatèrent d'un rire complaisant. Matthieu, qui avait appris à faire face à des adversaires autrement plus durs qu'Alain, ne chercha pas à se dérober.

– Et s'il se contentait d'être moche ! poursuivit Alain. En plus, c'est un voleur déjà condamné ! Il promet.

Matthieu fit un pas en avant, les poings serrés. Les filles poussèrent des petits cris apeurés. Le jeune homme qui se tenait à côté d'Alain s'interposa.

– Un peu de calme, je vous prie. Vous vous bagarrerez chez vous, pas dans la rue !

– Je m'en voudrais de me salir les mains ! fit Alain en se dérobant, car il avait compris que Matthieu ne reculerait pas.

Le soir, à table, Alain ne fit aucune allusion à leur rencontre de l'après-midi. Il mangea comme d'habitude en boudant, ou se contentant de quelques mots rapides. Sa mère s'emporta :

– Ton mauvais caractère te vaudra des ennuis.

Alain ne répondit pas. Son repas avalé à la va-vite, il se leva de table et sortit de la pièce. Matthieu pensa qu'il allait dégonfler ou percer les pneus de son vélo, mais prit le temps d'aider Madeleine à la vaisselle avant de sortir. Il resta un long moment dans le noir du couloir, bien décidé à en découdre une bonne fois pour toutes avec Alain qui ne vint pas. Il n'entendit que le miaulement langoureux d'un chat et retourna dans sa chambre. Nathalie qui l'attendait à la porte lui fit signe de ne pas parler.

– Je voulais vous dire de vous méfier ! murmura-t-elle. Alain est très rancunier et vous en veut. Il va s'arranger pour vous tomber dessus avec ses copains.

Dans la pénombre, les yeux de la jeune fille brillaient de cet éclat mutin, rieur, plein d'une gaieté qui la rendait gracieuse. Elle possédait cette générosité propre aux femmes qui ne s'arrêtent pas aux petites querelles parce qu'elles se sentent investies d'une mission autrement importante, celle de transmettre la vie.

Matthieu la remercia, mal à l'aise, comme d'habitude. Nathalie représentait ce qu'il ne connaissait pas et qu'il redoutait. Il avait appris à se battre et ne craignait pas Alain et ses copains ; les coups ne l'effarouchaient pas, mais devant une jeune fille, il perdait tous ses moyens. Il entra dans sa chambre avec le sentiment d'être très maladroit, lourd, penaud.

Il attendit avec impatience le dimanche suivant pour se rendre à Brive. Vingt kilomètres séparaient cette ville de Tulle, il pouvait donc faire l'aller-retour dans la journée sans se presser. Il espérait surtout que

Marion habitait toujours dans la même rue, près de la gare.

La semaine se passa sans incident. À table, Madeleine s'adressait de préférence à Matthieu, ce qui irritait Alain. Ce dernier avait remarqué que Nathalie regardait le locataire sans cesse et restait avec lui après le dîner pour bavarder dans le couloir ou à la porte de sa chambre. Il en concevait une réelle jalousie et avertit sa sœur :

– Si je te reprends avec lui, ça bardera pour toi !

Nathalie lui rit au nez.

– Tu veux jouer l'important et tu n'es qu'un gland !

Le dimanche matin, après une nuit agitée, Matthieu vérifia l'état des pneus de sa bicyclette et partit. L'estomac noué, il appuyait sur les pédales en se disant qu'il avait tort d'aller surprendre Marion dans une vie dont il était exclu. L'air était doux, le ciel voilé laissait passer un soleil pâle qui éclairait les collines de couleurs tendres. Les prairies, le long de la rivière, étaient parsemées des fleurs d'or des pissenlits.

À mesure qu'il se rapprochait de Brive, les jambes de Matthieu avaient moins de force sur les pédales. Il traversa Malemort en prenant le temps de regarder des enfants jouer aux billes. Il redoutait de découvrir une vérité qui dissiperait tout espoir.

Pourtant la curiosité était la plus forte et le poussait à aller jusqu'au bout de son voyage. Une fois dans Brive, Matthieu suivit les panneaux indiquant la gare. La rue Lebel où se trouvait la maison des parents de Marion était tout à côté. Matthieu la découvrit rapidement et, la gorge nouée, se dit que Marion passait sûrement là tous les jours.

Dans l'artère principale, sur la route de Cahors, les voitures circulaient difficilement à cause de la foule qui se pressait au marché comme tous les dimanches matin. Matthieu se mêla aux badauds, s'arrêtant devant les étalages, les paniers des fermières qui apportaient poulets, lapins et légumes. Tout à coup, il s'arrêta, pâlit, puis recula de quelques pas pour se dissimuler. Marion était avec sa mère, à quelques mètres de lui. Elle ne l'avait pas vu et il resta en retrait d'un étalage pour bien la regarder, pour se remplir de l'image tant recherchée dans la solitude de l'internat. Marion n'avait plus rien de commun avec la petite fille malade de Lachaud et, pourtant, c'était bien elle qui donnait le bras à Bernadette Lagrange. Elle était devenue une superbe jeune fille ; Matthieu mesurait le fossé qui les séparait ; il ne pouvait détacher les yeux de son visage aux joues pleines, son menton bien rond, ses yeux gris, ses cheveux courts. De toute évidence, elle était guérie et Matthieu, le voleur d'hosties, était sorti de ses pensées.

Leurs achats terminés, la mère et la fille rentrèrent chez elles. Matthieu les suivit de loin et les vit pousser le portail de la maison aux murs crépis de blanc qui correspondait bien, avec son jardinet et ses parterres de fleurs, à la description que Marion lui avait faite quelques années plus tôt.

Midi sonnait à l'église. Les marchands démontaient leurs stands et rangeaient dans des cartons les articles invendus. Les terrasses des bistrots se remplissaient de joueurs de pétanque qui commentaient les coups de la matinée devant des verres de pastis. Matthieu avait faim, mais n'osait pas entrer dans un restaurant. Il acheta des croissants qu'il mangea en déambulant dans les rues, son vélo à la main.

L'estomac lourd des croissants, il but à une fontaine publique et revint vers la gare. Il arrivait à la rue Lebel quand il aperçut Marion sortir de chez elle et marcher d'un pas pressé dans sa direction. Il eut envie de faire demi-tour et de se cacher, mais la jeune fille l'avait vu. Elle s'arrêta à quelques pas de lui, le dévisagea. Il baissait les yeux, rouge de honte, jamais il ne s'était senti aussi laid.

– Matthieu ?

Il osa un regard vers la jeune fille ; les formes de son corps de femme l'impressionnaient. Marion continuait de le regarder, de détailler ce qui avait changé dans le visage du Têtard qui était maintenant un solide jeune homme.

– Matthieu ? répéta-t-elle. C'est bien toi ?

– Oui, c'est moi.

Il mesurait sa stupidité, son incroyable audace. Pourquoi était-il venu jusque-là ? Marion le dévisageait toujours, comme si elle cherchait, dans cet inconnu, le voleur dont elle avait été la complice. Elle avait voulu oublier ces mauvais souvenirs liés à la maladie et à un comportement trouble que Matthieu avait révélé en elle et voilà qu'ils resurgissaient, nets, toujours vivants.

– Tu te rappelles...

Il baissa les yeux.

– Et tu chantes toujours aussi bien ?

– Non, j'ai perdu ma voix en muant. Mais j'ai appris à jouer du piano.

– C'est bien ! Il faudra que tu me montres...

À son tour, Marion baissa les yeux. Ses cheveux étaient toujours aussi lourds et abondants. Les mèches noires tombaient jusqu'au milieu de ses joues. La vue de Matthieu la troublait plus qu'elle ne le montrait.

– J'en ai beaucoup bavé ! fit-elle. Mais c'est fini !

Elle soupira, et ajouta :

– Pour l'instant, tout va bien, mais, avec cette saleté, on n'est jamais à l'abri. Voilà trois ans que les médecins me considèrent comme guérie. Il faut attendre encore quelques années pour en être certain.

Elle regarda sa montre et s'impatienta :

– Excuse-moi, Julien, mon fiancé, m'attend.

Elle fit quelques pas, puis se retourna.

– J'ai décidé de vivre tant que je le peux. J'ai été contente de te voir !

Matthieu la regarda s'éloigner. Le guidon de son vélo était tout à coup très froid dans sa main.

Marion frissonna. Était-ce parce qu'elle venait de revoir Matthieu qui réveillait des sentiments confus ou bien les prémices d'une nouvelle crise ? Elle s'observait ainsi continuellement : le moindre malaise, la moindre douleur prenaient des proportions considérables ; elle tremblait pendant plusieurs jours pour un rhume insignifiant. Pourtant tout allait bien, et même de mieux en mieux. La jeune fille avait retrouvé toutes ses forces et son envie de vivre ne lui laissait aucun répit. Persuadée que les années lui étaient comptées, elle voulait profiter de chaque instant, de chaque jour, éprouver les émotions fortes de la vie, les plaisirs de la bonne santé. Ses parents la laissaient faire ; ils avaient tant de fois redouté de la perdre qu'ils ne lui opposaient le moindre frein, la moindre remarque. Seule Honorine osait lui parler du futur et la réprimandait. Aussi Marion n'allait-elle pas souvent à Lachaud. D'ailleurs, il n'y avait rien à faire dans ce village où tout le monde était vieux. Elle préférait rester à Brive, avec ses amis.

La maladie avait gêné ses études ; elle avait réussi cependant à passer le BEPC à dix-sept ans. Tout le monde comprenait son retard et se félicitait qu'elle ait pu aller jusque-là après les terribles épreuves de son adolescence.

Car Marion revenait de l'enfer. Le bon air de Lachaud n'avait pas produit l'effet escompté. À l'hôpital de Brive, le Dr Muselier, ne pouvant plus rien, l'avait fait admettre à l'hôpital Gustave-Roussy à Villejuif. Marion y subit une première chimiothérapie, mais la maladie s'accrochait. Après six mois de convalescence, une rechute fit craindre le pire. Une deuxième chimiothérapie avec des médicaments nouveaux fit enfin reculer le mal. Marion se souvenait avec amertume de ses longues journées à Villejuif, parmi des malades comme elle, chauves et d'une pâleur excessive, des petits vieillards qui jouaient aux enfants normaux entre deux tortures.

La rémission qui durait depuis trois ans se trouvait pourtant au bout de ses souffrances. Les couleurs étaient revenues à ses joues et, tandis que ses cheveux avaient repoussé sur son crâne nu qu'elle cachait sous un foulard, elle reprenait tout doucement goût à la vie.

Elle frissonna de nouveau, se dit que l'impression de froid était peut-être due à une nouvelle poussée de fièvre annonciatrice de la rechute, puis chassa cette horrible pensée. Elle marchait vite. Le soleil sortait par moments entre de larges nuages blancs, illuminait la ville, puis se cachait de nouveau. Marion avait revu Matthieu et la rue, les maisons en étaient changées. Leurs chemins s'étaient éloignés, c'était bien ainsi, pourtant, elle ressentait comme un regret, une envie qui ne pouvait pas se raccrocher au présent.

Désormais, la vie de Marion était dominée par un seul amour, un seul homme, si différent de Matthieu que les deux jeunes hommes ne semblaient pas sur la même planète. Julien était élégant et tellement beau avec son visage long, ses cheveux bouclés. Quand elle était près de lui, quand il la serrait dans ses bras, la jeune femme entrait au paradis. Ses épreuves n'avaient de sens que pour ces instants de plaisir et d'abandon.

Elle accéléra le pas. Julien l'attendait dans sa chambre ; c'était un impatient et il lui ferait encore le reproche de ne pas être arrivée à l'heure. Pourtant, c'était pour lui qu'elle s'était mise en retard, qu'elle avait passé beaucoup de temps devant sa glace à changer trois fois de robe ! Julien souriait peu. Sa dureté de caractère, la brièveté de ses propos montraient une force intérieure à laquelle aucune femme ne pouvait résister. Marion était un jouet entre ses bras, mais c'était aussi du bonheur.

Elle arriva à un petit immeuble de la rue Morgue, regarda la fenêtre du troisième étage, espérant apercevoir la silhouette de Julien qui l'attendait, mais la fenêtre était vide. Un peu déçue elle entra, monta rapidement l'escalier, impatiente de se jeter dans les bras de son amant. Sur le palier, Marion, ne prenant pas le temps de souffler, frappa, attendit, le cœur battant. La poignée mit quelques secondes avant de tourner, la porte s'ouvrit lentement. Julien était enfin devant elle. Avant de se presser contre lui, elle regarda son visage aux joues creuses, bleues d'une barbe régulière, son front traversé de petites rides et sa bouche, cette bouche sur laquelle elle posa ses lèvres avides.

Julien Bédinot paraissait la trentaine, qu'il avait dépassée. Il avait fait son service militaire en Allemagne et travaillait dans une usine qui fabriquait des chaussures. Il parlait peu de lui. Marion savait que ses parents habitaient Cressensac et qu'il avait passé son enfance en Algérie. Sa famille était rentrée en France au début des événements, laissant là-bas tout ce qu'elle possédait.

Marion se blottit dans ses bras. Là, elle ne craignait plus ni la maladie ni les reproches de son père qui n'aimait pas Julien.

– Tu es encore en retard ! dit le jeune homme en se séparant froidement de Marion.

Au début de leur liaison, l'accueil souvent glacial de Julien faisait mal à Marion, mais elle avait fini par s'y habituer et, avec le temps, sa perpétuelle mauvaise humeur était devenue un élément de son charme.

– Pardonne-moi ! dit-elle, en baissant les yeux, coupable. Avec mon père, les déjeuners du dimanche n'en finissent pas ! Mais nous sommes tranquilles, papa et maman sont partis à Lachaud.

– Ça tombe mal !

Marion dressa la tête et regarda anxieusement Julien. Ce n'était pas la première fois qu'il la laissait seule un dimanche après-midi. Mais Marion acceptait tout de lui.

– Ah bon ? demanda-t-elle d'une voix altérée.

– Oui, je dois partir dans un instant. Si tu n'étais pas arrivée avec presque une heure de retard...

– Je sais, c'est de ma faute.

Elle retenait les larmes qui montaient à ses yeux. Julien s'était approché de la fenêtre et regardait la rue. Marion lui prit les mains.

– Ça n'a pas d'importance, mon chéri. J'attendrai que tu sois libre. J'attendrai toute la vie s'il faut, mais je ne peux pas me passer de toi.

Il la renversa sur le lit. Marion flottait dans une félicité sans nom, atteignait des sommets de bonheur et de plaisir inconnus jusque-là et qu'aucun autre garçon n'avait su lui apporter. Avant Julien, il y avait eu Jacques Frisaut, un jeune homme de son âge, maladroit et timide. Pour Marion, il aurait fait n'importe quoi et il pleurait quand elle lui parlait de le quitter. Marion jouait avec lui comme un chat avec une souris. Près de Julien, c'était exactement le contraire. Devenue, à son tour, marionnette, la jeune femme en était réduite à mendier une caresse, un baiser qui se faisaient attendre. Julien était fort et ne cédait jamais. Avec lui, la leucémie battait en retraite.

Après l'amour, Marion était radieuse, apaisée, comblée par son corps qui l'avait tant martyrisée, Julien était toujours sombre. Il se levait, allait de la fenêtre à la porte, comme s'il s'ennuyait, comme s'il regrettait le temps qu'il passait avec une adolescente naïve. Un jour, Marion osa lui dire :

– J'ai l'impression que tu n'es pas heureux !

– Mais si !

Marion s'était contentée de cette réponse sans conviction, redoutant la remarque, le mot de trop qui brise un équilibre fragile. D'ailleurs, elle se contentait de ce qu'il lui disait, même si le doute s'était installé dans son esprit, d'abord simple pressentiment, puis menace de chaque instant qui la rendait toujours plus attentive, toujours plus soumise.

– Marion, il faut que tu partes, j'ai à faire en ville.

– On peut pas y aller ensemble ?

– Non, c'est pour mon boulot. Tu perdrais ton temps.

Marion accepta. Elle s'habilla prestement et se prépara à passer le reste de la journée seule. Elle se doutait que Julien lui mentait ; elle était presque sûre qu'il fréquentait d'autres femmes, mais refusait de poser la moindre question. Le joug qui l'écrasait lui était indispensable.

– Il se moque de toi ! Il ne se cache même pas et tu acceptes tout ! s'insurgeait Bernadette.

– Qu'il ne se trouve jamais devant moi ! ajoutait Pierre, menaçant.

Mais l'un comme l'autre laissaient faire. Marion avait retrouvé la santé et une certaine joie de vivre, tant pis si c'était au prix de son asservissement ! Ils espéraient surtout qu'avec le temps, elle finirait par comprendre.

Le soleil était agréable en ce début de mois de mai. Marion, après avoir quitté Julien, prit le temps de flâner sur les trottoirs. Ses parents ne rentreraient qu'à la nuit et elle n'avait pas envie de se retrouver seule dans la maison silencieuse. La pensée de Matthieu qu'elle avait éconduit pour se rendre à ce rendez-vous rapide, presque raté, s'imposait à son esprit. Un nouveau frisson parcourut son dos, puis elle eut comme un éblouissement. Le trottoir se mit à onduler, elle dut s'appuyer contre le mur pour ne pas tomber. Enfin, le malaise se dissipa et elle put rentrer, les jambes molles.

De la fenêtre de sa chambre, elle écouta un moment les bruits de la rue, les cris des enfants qui jouaient, les aboiements d'un chien, une voiture qui démarrait. La crainte de la rechute qui lui plombait le ventre s'intensifiait depuis quelques jours, surtout quand elle était seule. Elle sortit, comme pour fuir ses pensées, son destin de fille malade, courut de nouveau jusque chez Julien frappa à sa porte et fut étonnée qu'il ne fût pas sorti.

– Qu'est-ce que tu fais là encore ? Je t'ai dit que j'avais à faire.

– Julien... fit Marion en s'accrochant au jeune homme, j'ai eu un malaise... J'ai peur...

– Et qu'est-ce que tu veux que j'y fasse ? Je te dis que je suis occupé !

Marion ne se contrôlait plus. Ses yeux roulaient dans leurs orbites, elle tremblait.

– Je t'en supplie, garde-moi un peu, juste pour voir si ça va revenir.

Il la laissa entrer, elle s'assit sur le lit, claquant des dents, car tout à coup, elle avait très froid.

– C'est la fièvre, je vais avoir une poussée de fièvre, ça commence toujours comme ça !

Julien tournait en rond, fumait sa cigarette et pensait à autre chose.

– Je suis pas médecin, moi, je peux rien !

– Je sais, mais j'ai besoin de toi. Tu es si fort ! La maladie n'osera pas venir tant que tu seras là !

Il réfléchit un instant, écrasa sa cigarette dans le cendrier et dit :

– Écoute, il faut que je sorte. Dans dix minutes, je dois être parti, alors, dépêche-toi !

Elle comprenait à cet instant où la peur lui communiquait une étrange lucidité qu'il ne l'aimait pas, qu'il se servait d'elle comme d'un objet et eut envie de pleurer, pourtant, elle se retint.

– Bon, je m'en vais !

Elle voulut ajouter : « Et je ne reviendrai plus jamais t'importuner ! », mais se tut, sachant qu'elle n'aurait pas le courage d'affronter une séparation.

Le malaise était passé, pourtant, le soir, tandis

qu'elle attendait ses parents et préparait le repas, une nouvelle envie de vomir lui retournait l'estomac.

Sa mère qui était à l'affût de la moindre faiblesse la trouva pâle. Marion ne voulut pas l'affoler et lui assura que tout allait bien, qu'elle se sentait en pleine forme. Pourtant l'envie de vomir la prit de nouveau avant d'aller se coucher et, une fois dans sa chambre, elle s'écroula sans connaissance au pied de son lit. Cette fois, il n'y avait plus de doute : après trois ans de rémission, la leucémie tentait une nouvelle attaque et Marion ne pouvait s'empêcher de penser à Matthieu qu'elle avait vu l'après-midi, comme si c'était lui le messager de l'enfer.

Elle ne dormit pas de la nuit, passant de la révolte à l'envie de prier. Elle pensait à Julien : avec son aide, elle aurait peut-être eu la force de se battre, mais Julien avait d'autres soucis !

Le lendemain, elle ne put avaler son café, l'estomac toujours retourné par l'envie de vomir.

– T'en fais pas, dit-elle à sa mère qui la regardait avec anxiété. C'est rien, je t'assure, j'ai dû manger quelque chose qui m'a fait mal.

Dans la matinée, au lieu d'aller à ses cours, elle se rendit à l'hôpital. Le Dr Muselier l'examina avec appréhension. Cet homme d'une grande conscience et de plus de trente années d'expérience eut un doute sur son diagnostic et demanda à son collègue, le Dr Phellant, gynécologue, d'examiner à son tour Marion. Celui-ci confirma les conclusions de Muselier.

– Marion, ce n'est pas la leucémie, tranquillise-toi !

Muselier connaissait Marion depuis de nombreuses années et la tutoyait. Il avait pour la jeune femme cette tendresse qu'éprouvent les médecins pour des patients atteints de longues maladies qu'ils voient régulièrement. La survie de Marion était un peu sa réussite; il n'avait pas oublié la petite fille maigrichonne d'autrefois.

– Oui, tu peux être tranquille ! ajouta-t-il. Cependant...

Un sourire passa sur le visage de Marion qui poussa un soupir de soulagement.

– Cependant, poursuivit le médecin, tes malaises ont une cause bien réelle : tu es enceinte !

Le monde s'écroulait une fois de plus autour de Marion.

Matthieu ne s'attarda pas à Brive. Il monta sur son vélo et pédala vers Tulle, sur cette route étroite qui suivait le cours de la Corrèze. Il regrettait d'avoir revu Marion et de ne pas être resté avec ses souvenirs d'enfant. Désormais, elle lui était inaccessible et il mesurait son ridicule. Qu'avait-il espéré ? Que Marion allait l'attendre pendant ses cinq années d'absence ? Elle ne lui avait jamais rien promis et s'intéressait désormais à d'autres jeux, ceux des adultes. Matthieu avait perdu sa journée pour découvrir que ses vieux rêves d'adolescent solitaire se brisaient contre la réalité et qu'il devrait s'en inventer d'autres.

La route du retour lui sembla plus longue que celle de l'aller. Il ne cessait d'imaginer Marion dans les bras de son fiancé, un garçon sûrement très beau, peut-être riche, avec lequel il ne pourrait jamais rivaliser, Marion faisant l'amour, un acte qu'il ignorait et redoutait. Il avait pris un retard sur la vie qui ne se comblerait jamais !

Il arriva à Tulle en fin d'après-midi. De gros nuages couvraient la vallée. Près de la gare, il vit voler une hirondelle et pensa à son grand-père qui mettait un point d'honneur à voir avant les autres les premiers signes de la saison.

Il remonta l'avenue Victor-Hugo, longea la cathédrale dont le clocher était toujours entouré d'échafaudages. Le jeune homme aimait désormais travailler suspendu entre ciel et terre. Béruget était un bon patron et ne lui faisait jamais de reproches. Grandi était vif comme l'éclair, se vexait pour un rien, mais aimait la plaisanterie et avait toujours une nouvelle histoire à raconter. Il se vantait surtout de ses succès féminins et évoquait quelques hauts fonctionnaires à qui il avait fait porter les cornes. Dupommier était plus réfléchi, plus lent dans ses gestes, mais plus solide, increvable. Peu bavard, l'Auvergnat cachait sous un aspect bougon le grand cœur de quelqu'un qui a su tirer des leçons de la vie.

Matthieu posa son vélo dans le couloir de Mme Bousquet et partit se promener à pied. La nuit tombait. Il ne rentrerait pas dîner, les croissants de midi alourdissaient toujours son estomac. Il errerait ainsi dans la ville, de préférence dans les rues sombres, au hasard des rencontres. Lui qui avait vécu pendant cinq années avec des garçons violents et peu respectueux des principes moraux éprouvait ce soir-là un besoin d'action. Peut-être irait-il se battre dans un bistrot ou chercherait-il l'occasion de commettre quelque larcin ! C'était ainsi chaque fois que plus rien ne le retenait du bon côté de la barrière : les bas instincts ressortaient et il se sentait devenir un autre.

Le ciel, menaçant jusque-là, se découvrait. Des lambeaux de nuages s'éparpillaient, laissant la place aux premières étoiles. Les citadins rentraient chez eux, mais comme l'air était très doux, ils ne se pressaient pas. Des jeunes gens en groupes bavardaient, riaient aux éclats. Leur insouciance, leur joie déplaisaient à Matthieu.

Finalement, il avait tort : Marion avait vécu sans lui pendant son enfermement et il ne pouvait pas le lui reprocher. À lui de la conquérir, mais en aurait-il le courage ?

Il arrivait à une petite rue en pente raide quand il s'entendit héler :

– Mais c'est la bleusaille !

Il s'arrêta, surpris. Une seule personne au monde avait cette voix forte et s'exprimait de cette manière. Il se tourna et vit, arrivant d'une rue adjacente un homme de grande taille, aux épaules encore solides, portant un chapeau noir et vêtu d'un vieux manteau gris. Une abondante barbe blanche moussait sur ses joues et son menton; il avait le front très large et le regard brillant.

– Te voilà ! Je savais que tu étais dans le canton. Les nouvelles vont vite ! Je t'ai vu grimper là-haut, sur le clocher. Pour un bleu tu te débrouilles bien !

Roger Flamant n'avait pas changé. Il marchait toujours avec la même assurance et ses yeux, dans la pénombre, avaient le même éclat amusé. Matthieu, tout à sa surprise, ne savait que dire et bredouilla un bonjour timide.

– Cinq ans que je suis parti de là-haut ! poursuivit Flamant. Comme toi ! Après que la maréchaussée m'a emmené comme un malpropre, je pouvais plus y rester. Ils auraient fini par me flanquer un coup de fusil, tellement ils avaient peur. Et toi, la campagne s'est bien passée, pas trop de pertes ?

Matthieu haussa les épaules. Il n'en revenait toujours pas de se trouver dans cette rue en face de

Roger Flamant qu'il avait vu si peu et dont il se sentait si proche. Il repensait à ses peurs anciennes pour traverser la forêt jusqu'à la roulotte. Il bredouilla :

– Le centre d'éducation surveillée de Périgueux... Et puis...

Une grosse peine gonflait la poitrine du jeune homme qui mesurait devant Flamant la profondeur de sa solitude.

– Viens donc boire un verre à la maison ! Ça me fait plaisir de trouver quelqu'un de là-haut !

Flamant emmena Matthieu jusqu'à une ruelle mal éclairée. Ils entrèrent dans un vieil immeuble qui sentait mauvais, montèrent un escalier de bois qui craquait. Le vieil homme habitait une pièce grise où régnait un grand désordre. Une table couverte de journaux, trois chaises en bois blanc, une vieille cuisinière à charbon avec des casseroles et, dans un coin, un petit lit métallique laissaient très peu de place disponible.

– C'est pas la fortune, mais on s'en contente. Avec ma retraite, il faut pas demander un château. Assieds-toi.

Il alla chercher, dans le placard près de la porte d'entrée, deux verres crasseux et une bouteille de vin entamée.

– Ce que je regrette, c'est la forêt, les grands arbres silencieux, les oiseaux le matin, l'air frais des collines et surtout mon jardin ! dit Flamant en s'asseyant. Mais c'est ainsi ! Je me suis pas senti le courage d'emmener ma roulotte ailleurs. Le défaut de la ville c'est qu'il y a beaucoup de monde. L'avantage, c'est que personne te regarde et si tu te tiens peinard, on te fout la paix.

Matthieu le regarda verser le vin dans les verres et demanda :

– Vous êtes ici depuis longtemps ?

Il posa la bouteille, passa ses doigts dans sa barbe.

– Un peu plus de deux ans. Avant, j'étais au trou. Ils ont fini par me retrouver et me demander des comptes... Bah, ils ont eu raison : maintenant, je n'ai plus à me cacher.

Il se tut un instant, puis ajouta :

– À toi, je peux parler, on est de la même race, toi parce que tu es un sauvageon, moi parce que je me suis longtemps cru le plus fort. J'étais en Indochine, puis en Algérie ; on faisait pas dans la dentelle. J'avais la gâchette facile, autant pour les fellaghas que pour les fortes têtes... Et puis je suis revenu. Dans le Nord ! Une bagarre avec un pied-noir que j'avais connu là-bas. Ils m'ont retrouvé, je te dis, mais je m'en suis bien tiré ! Et toi ?

Matthieu regardait son verre. Marion lui parlait encore de son fiancé, de son retard au rendez-vous du dimanche après-midi...

– Moi ? À Peyrolles, les gens me regardent comme une bête curieuse et me tournent le dos.

– Tu vas rester ici à grimper sur les toits ?

– Je sais pas. Je vais attendre le service militaire. Après, on verra. J'ai envie de rien !

– C'est quand on a envie de rien qu'on fait des bêtises ! dit Flamant en remplissant de nouveau les verres. Au fait, ta petite copine qui avait la leucémie ?

Matthieu battit des paupières à plusieurs reprises et dit très vite :

– Elle est guérie. Elle a un fiancé.

Le ton de Matthieu était celui de la défaite et du renoncement. Un soupir souleva ses épaules. Flamant l'observait de ses petits yeux où luisait une compassion amusée. Il ne prenait pas la peine de Matthieu au sérieux : son expérience de la vie lui indiquait que tout se dissout dans l'indifférence du temps qui, lui, ne s'était jamais arrêté.

– Tu sais, dit-il, à ton âge, un an, deux ans, c'est très long. Au mien, c'est déjà plus court et tu te rends compte que tu n'as rien fait, sinon penser à tes petites misères...

Matthieu leva les yeux sur Flamant. Comment pouvait-il parler de petites misères quand Marion lui échappait définitivement ?

– Tu n'es plus un enfant et tu n'as plus l'âge de jouer aux petits soldats ! poursuivit Flamant. Moi, j'ai fait plusieurs métiers, j'ai d'abord été professeur, ouais, prof dans un lycée d'Angoulême, puis il y a eu les événements d'Algérie... Pour moi, tout est dit, mais toi, le temps te sert ! Au fait, tu chantes toujours aussi bien ?

Matthieu sursauta. Comment Roger Flamant savait-il que le jeune homme chantait bien ?

– Je t'ai entendu plusieurs fois quand tu descendais à la scierie et que tu te croyais seul, précisa-t-il.

– J'aimais pas chanter devant les gens qui me regardaient. D'ailleurs, je chantais mal, très mal. Et, maintenant, ma voix d'homme vaut encore moins.

– C'est bien dommage, ça...

– J'ai appris à jouer du piano. J'aime toujours beaucoup la musique.

– Du piano, tu dis ? Tu t'embourgeoises ! C'est le rêve de tous les culs-terreux ! Enfin, nous verrons ça plus tard.

Il vida un troisième verre. Matthieu avait déjà mal à l'estomac et se sentait un peu ivre, ce qui facilitait la confidence.

– J'ai pu faire des études au-delà de ce qu'espéraient les éducateurs. Ils m'avaient donné cinq ans pour que je puisse passer le BEPC et je suis allé jusqu'en première.

– Et tu t'es arrêté si près du bac ?

– J'en pouvais plus ! Je voulais travailler et être indépendant. Mais maintenant, ça me tente !

Il avait dit ça pour se valoriser, parce qu'il sentait que Flamant lui était infiniment supérieur et ne le prenait pas au sérieux.

– Tu vois que les centres d'éducation surveillée n'ont pas que du mauvais. À Peyrolles, tu ne serais jamais allé aussi loin, parce que tu ne voulais écouter personne. Avec des gars comme toi, la discipline a du bon ! Le bac, tu dis ? Mais c'est une bonne idée.

Puis reprenant la manière de parler qu'il avait dans sa clairière, il porta la main droite à sa poitrine :

– Soldat, votre rapport est courageux. Faites confiance à votre officier qui vous conduira à la victoire !

Matthieu vida son verre et voulut s'en aller : il avait des fourmis dans les jambes.

– La bataille sera rude ! poursuivit Flamant, mais la victoire ne sourit qu'aux audacieux. Dès demain, je vous attends après les manœuvres !

Matthieu sortit, la tête pleine de ce rêve qui chassait ses idées noires : passer le bac, demander une bourse pour aller en faculté ! Il avait tout à coup besoin de montrer qu'il était supérieur aux autres. Puisqu'il ne pouvait éblouir Marion par sa beauté, il allait le faire par ce qui était souvent refusé aux plus séduisants et qu'on lui reconnaissait : l'intelligence !

En arrivant chez Mme Bousquet, il traversa le couloir et voulut aller directement dans sa chambre. Nathalie, qui devait l'attendre, le rejoignit tandis qu'il ouvrait sa porte.

– Ah ! Matthieu, on a cru que tu étais parti chez toi...

– Non, j'étais pas chez moi.

Il titubait un peu, la jeune fille s'en aperçut.

– Je vais prendre des cours du soir pour préparer mon bac ! À partir de demain, je rentrerai trop tard pour dîner avec vous.

Il avait gonflé sa voix. En face de lui, dans la pénombre, Nathalie le regardait avec admiration. Il voyait le contour de son visage rond, une poussière de lumière animait ses cheveux aux douces ondulations.

– Ça va te faire beaucoup de travail !

– Oui, mais faut savoir ce qu'on veut !

Il entra dans sa chambre, laissant la jeune fille dans le couloir. Parfois, il avait ainsi des élans dominateurs et se trouvait la force d'écraser le monde du bout du pouce. Pendant ses années d'internat, il avait rêvé de retrouver Marion, sa seule attache. Il avait aussi rêvé de puissance, de pouvoir sur les autres pour mettre à sa botte ceux qui s'étaient moqués de lui : le Têtard, voué à la solitude, se devait de consacrer sa vie à une revanche éclatante !

Il dormit d'une traite, l'estomac retourné par les trois verres de vin. La pensée de Marion flottait dans son esprit, douloureuse et désespérante. Les filles ne manquaient pas : Nathalie était douce et le regardait d'une manière qui lui laissait espérer qu'elle n'attendait qu'un mot, un geste de lui. Mais la victoire sans combat lui semblait fade. Le Têtard, bien que se sachant laid, avait toujours eu une haute idée de lui-même et ne désirait que ce qu'il ne pouvait atteindre.

Il se leva comme chaque matin, vers sept heures. Le café fumait dans la cuisine et Mme Bousquet lui sourit. En sortant, la pluie le surprit. La journée serait difficile : les échelles et les échafaudages seraient glissants. Les ardoises prenaient avec l'eau un tranchant qui taillait les mains au moindre geste maladroit.

La matinée se passa pourtant sans incident. Comme d'habitude, Grandi joua aux acrobates et fit semblant de tomber puis, marchant en équilibre sur le faîtage, chanta un air en italien. Vers midi, la pluie cessa, le vent se leva et sécha rapidement les toits. Matthieu pensait peu en travaillant, s'absorbait entièrement dans les mouvements de ses mains, dans ceux de son marteau de couvreur qui taillait désormais les ardoises aussi bien que ses deux collègues. Béruget l'encourageait :

– À croire que tu étais né pour ça ! Tu as vite pigé le coup !

Matthieu était sensible aux compliments, les premiers de sa vie. Il avait, pour son patron, un dévouement quasi filial et rougissait quand, au moment de la paie, Béruget ajoutait quelques billets pour son bon travail.

Le soir, il se rendit directement chez Roger Flamant. L'ancien professeur était assis à sa table derrière une pile de livres.

– J'ai pas perdu mon temps ! dit-il. Regarde, bleusaille, des bouquins de littérature, de maths, d'anglais – ce sera le plus dur –, d'histoire-géo et de philo. Je dois tout cela à mon vieux copain libraire de la rue du Trech ! J'espère que tu es doué en anglais, parce que moi...

Matthieu avait eu la chance à Périgueux d'avoir un professeur d'anglais originaire du pays de Galles et qui savait fort bien enseigner sa langue. Le jeune homme n'avait jamais éprouvé la moindre difficulté dans cette matière.

– Alors, ça devrait aller. On va commencer par voir ton niveau en maths. C'est mon péché mignon !

Il était tout excité en feuilletant ses livres. Son visage rayonnait, ses yeux exprimaient un contentement que Matthieu ne leur connaissait pas. Cette occupation inattendue semblait le rajeunir.

– Allons, au boulot !

Il se frottait les mains de plaisir tandis que Matthieu s'asseyait à côté de lui. Ils travaillèrent ainsi plusieurs heures sans voir le temps passer.

Matthieu rentra tard à sa chambre, vers onze heures. Madeleine Bousquet n'était pas couchée et lui fit signe de sa fenêtre. La femme, qui se sentait responsable de son jeune locataire, voulait savoir d'où il venait et n'avait pas cru Nathalie.

– Si, fit Matthieu. Je vais passer mon bac et je reprends mes études avec un vieux professeur qui vivait à Peyrolles et que je connais depuis longtemps. Il est tout heureux de me faire travailler.

Madeleine fut convaincue par les livres que le jeune homme portait sous son bras.

– C'est bien, dit-elle, mais vous ne pouvez pas faire deux journées sans prendre le temps de manger.

– On a mangé des gâteaux secs...

– C'est pas suffisant ! trancha Mme Bousquet sur un ton maternel. Quand vous rentrerez, vous viendrez directement ici. Je vous garderai quelque chose sur le coin de la cuisinière.

Roger Flamant revivait. Ses journées jusque-là vides devenaient trop courtes. Il avait très vite compris que Matthieu était doué et pouvait prétendre passer le bac l'année suivante. Devenu mercenaire en Indochine et pendant la guerre d'Algérie, il découvrait que sa véritable nature n'était pas de torturer les autres, mais au contraire de les servir.

– Je peux t'aider en tout, disait-il, sauf en anglais et en gymnastique ! Là il faudra que tu te débrouilles tout seul !

Parfois, le dimanche, après une journée de travail, quand il sortait la bouteille de vin et les deux verres sales, il se laissait aller à des confidences et dévoilait un peu de son passé.

– J'ai commencé par être prof ! Dans ma famille, ils sont tous médecins. Ouais, mon père était médecin, mon grand-père aussi, à Maubeuge. Moi, je voulais écrire des romans. Alors, je suis devenu prof pour gagner ma vie en attendant que mes livres se vendent. Mais le travail et la bonne volonté ne suffisent pas pour devenir romancier. Il faut une petite chose en plus, un grain de folie qui t'agace l'âme sans cesse, sinon tu vas à la catastrophe ! Et toi, qu'est-ce que tu veux faire après le bac ?

– Des maths, de la physique, pour devenir ingénieur ! Je vais demander une bourse !

Matthieu hésita un instant et ajouta :

– J'aurais aimé devenir musicien, mais c'est comme pour écrire des romans, il faut un don que je n'ai pas.

Souvent, il étudiait dans sa chambre. Quand il sortait faire un tour, Madeleine Bousquet l'invitait à venir manger une tartine et boire du café au lait. C'était une femme de grand cœur qui ne lui faisait pas payer sa pension aussi cher qu'elle l'avait dit au début. La volonté du jeune homme lui plaisait et chaque fois qu'Alain disait une méchanceté, elle le remettait à sa place assez brutalement :

– Tu ferais mieux de penser un peu plus à ton bac !

Alain consacrait beaucoup de temps aux sorties, aux copains et aux filles. Mme Bousquet se lamentait :

– Il sera collé, c'est sûr, mais allez lui faire entendre raison !

Nathalie rejoignait souvent Matthieu sur le chemin de la promenade. Sa compagnie ne gênait pas le jeune homme, pourtant mal à l'aise auprès des filles. Il n'éprouvait pour elle aucun désir, ce qui la maintenait en dehors du monde fermé des femmes où trônait Marion.

– Ma mère t'aime bien; elle te cite souvent en exemple à mon frère qui rit bêtement.

– Mais pourquoi m'en veut-il ? Je ne lui ai rien fait !

– Certes, reprenait la jeune fille. À mon avis, il est jaloux.

Nathalie et Alain ne s'entendaient pas. L'un était sûr de lui, arrogant, prétentieux; la jeune fille, au contraire, était humble, tournée vers les autres et parlait peu d'elle.

– Je vais passer mon CAP au mois de juin, mais j'ai peur de ne pas l'avoir ! Je ne suis pas très forte en orthographe !

– L'important c'est que tu saches coiffer les gens !

Le tutoiement était venu naturellement entre eux, car ne cherchant pas à s'éblouir, ils avaient trouvé très vite le ton de la franche camaraderie.

– Oui, mais il y a une épreuve de français et d'arithmétique !

Nathalie ne comprenait pas que le Matthieu qu'elle côtoyait, garçon simple et studieux, ait pu être un voleur. Elle était trop jeune encore pour savoir que l'homme le plus doux peut héberger au fond de lui un monstre qui, en certaines circonstances, casse ses chaînes. « Il a dû se laisser entraîner ! » pensait-elle.

– Quand tu as le temps, tu peux venir chez moi écouter des disques. J'ai acheté le dernier de Johnny Halliday. Ma mère dit que c'est pas de la musique. Moi, je le trouve tellement beau !

Johnny Halliday était beau, en effet, d'une beauté qui faisait mal à Matthieu, comme si cette beauté inaccessible lui ôtait quelque chose, le marquait au fer rouge de l'injustice originelle. Depuis qu'il travaillait avec Roger Flamant, cet aspect de son physique qu'il détestait le faisait cependant moins souffrir : « Certes il est beau, pensait-il. Alain n'est pas aussi beau, mais il l'est quand même beaucoup plus que moi, c'est vrai aussi, mais je suis plus intelligent et c'est ce qui compte ! »

Un dimanche en fin d'après-midi, tandis que Matthieu avait travaillé toute la journée, Nathalie vint le trouver.

– Je vais chez une copine. Tu veux venir avec moi ?

Matthieu n'aimait pas aller chez les gens, voir de nouvelles têtes, surtout des jeunes prompts à la moquerie. Pourtant, il accepta l'invitation. Nathalie portait un blouson noir en cuir, un pantalon moulant. Matthieu lui trouva du charme avec ses cheveux mi-longs qu'elle défrisait au fer, comme le voulait la mode du moment, son regard toujours un peu espiègle.

La copine habitait sur les hauteurs de la Bachellerie, une superbe maison ancienne. Son père, le Dr Dumaillet, était chirurgien-dentiste et Sylvie vivait dans un confort enviable. Elle fréquentait une école privée fort chère dont ses parents attendaient des miracles. Son amitié pour Nathalie datait de l'école primaire et ne s'était jamais démentie malgré la différence de milieu. Matthieu découvrit une fille assez grande, plutôt blonde, avec une large bouche qui riait tout le temps et des yeux noisette. Nathalie le présenta comme « son copain », ce qui ne laissa pas Matthieu indifférent.

– Il prépare son bac ! ajouta-t-elle en omettant de préciser qu'il était ouvrier couvreur.

Ils entrèrent dans un vaste salon richement meublé. Des larges baies venait une abondante lumière qui éclairait les rayons d'une bibliothèque et des fauteuils en cuir. Matthieu remarqua surtout le superbe piano à queue et ne put s'empêcher de pousser une exclamation.

– Un Pleyel ! Qu'est-ce qu'il est beau !

– Ah ! c'est vrai, fit Nathalie, que Matthieu a appris à jouer du piano !

– Tu peux l'essayer ! dit Sylvie en soulevant le couvercle des touches blanches et noires.

Matthieu s'assit devant le piano. Ses années de solitude à Périgueux lui revenaient en mémoire à travers toutes les musiques qu'il avait apprises. Il posa un doigt sur une touche : un son cristallin, d'une grande pureté, s'échappa du meuble de bois noir. Il regarda Nathalie, ravi.

Alors, il osa se laisser aller. Ses doigts se mirent à courir sur le clavier et la musique envahit la pièce, puissante, merveilleuse d'équilibre et de force, envoûtante. Matthieu n'était plus dans cette maison cossue, il était oiseau entre ciel et terre, dans ce monde particulier des sons. À côté, les deux filles n'osaient plus bouger, prises par le charme. Quand il s'arrêta, Nathalie le regardait avec admiration.

– Eh bien, toi ! dit-elle. Je savais pas que tu étais aussi doué !

Marion cacha son état à ses parents pendant tout un mois. Elle savait, par une de ses amies, qu'un médecin en retraite dans un village voisin de Brive pratiquait des avortements, mais réclamait une somme d'argent que la jeune femme ne pouvait espérer trouver. Elle avait la possibilité de partir avorter dans un pays où cette intervention était autorisée, mais c'était aussi trop cher.

D'ailleurs, elle n'était pas certaine de vouloir perdre son enfant. Elle qui était passée si près de la mort ne se sentait pas la force d'arrêter la vie nouvelle qui grandissait dans son corps. Elle redoutait cependant la colère de son père et souhaitait quitter Brive pour une autre ville, Toulouse par exemple, car il n'était pas question de demander à Julien d'endosser cette paternité. Le spectre de la maladie la retint : si elle rechutait, que deviendrait son enfant loin de Bernadette et de Pierre ?

Julien se doutait de quelque chose. Marion avait changé radicalement du jour au lendemain. Il la sentait sur la défensive et se refusait à lui. Elle pleurait souvent, sans raison. Constamment préoccupée, elle n'avait plus son attitude de poupée soumise et abrégeait ses visites. Un après-midi, il explosa :

– Qu'est-ce qui se passe ? Tu es absente et, en face de moi, j'ai l'impression que tu penses à quelqu'un d'autre !

Marion éclata en sanglots. Julien supportait difficilement cette « sensibilité de fille » et sa colère redoubla :

– Tu crois que j'ai que ça à faire ? M'occuper d'une chialeuse ?

Elle avait décidé de lui cacher la vérité, car elle connaissait sa réponse et redoutait sa violence. Pour cela, elle devait rompre et ne réussissait pas à se décider. Pourtant, ce samedi, tandis qu'une averse s'abattait sur les toits de Brive, elle rassembla ses forces, eut le courage de l'affronter et dit, d'une voix étouffée par les sanglots :

– C'est la dernière fois qu'on se voit !

Julien s'attendait si peu à de telles paroles qu'il resta un moment interloqué, les bras ballants. Puis, contenant sa colère, il demanda d'une voix qui se voulait calme, mais tremblait :

– Et pourquoi, je te prie ?

– C'est ainsi ! répondit Marion en se levant du lit sur lequel elle était assise.

Julien, blême, les lèvres pincées, la prit par les épaules et la secoua vivement.

– Qu'est-ce qui te prend, hein ? Tu crois qu'une pétasse comme toi peut faire la loi ici ?

– Je t'en prie ! fit-elle en se dirigeant vers la porte.

– C'est ça ! Cours, tu reviendras !

Au fond de lui, le jeune homme ne croyait pas vraiment à la rupture. Marion était sa prisonnière ; jusque-là il en avait fait ce qu'il avait voulu. Combien de fois l'avait-il renvoyée, et elle était revenue en demandant pardon des fautes qu'elle n'avait pas commises ! De sa fenêtre, il la regarda courir sous la pluie et haussa les épaules.

Marion arriva chez elle trempée. Elle ne pensa pas à se changer, s'enferma dans sa chambre et pleura. Le soir, quand ses parents revinrent de Lachaud, elle refusa de dîner et resta sur son lit sans lumière, à sangloter. Sa mère voulut lui parler, mais Marion la repoussa. Bernadette se doutait que ces larmes avaient un rapport avec Julien. Elle espérait secrètement qu'il ait rompu car de cet homme ne pouvait venir que le malheur de Marion.

La jeune femme refusa de quitter sa chambre durant deux jours. Sa mère lui apportait un peu de bouillon, mais n'insistait pas : seul le temps pouvait arranger ce genre de choses. Le troisième jour, elle annonça à sa mère qu'elle avait quitté Julien.

– Je m'en doutais ! dit Bernadette. Et c'est ce que tu avais de mieux à faire ! Ce garçon ne t'aurait pas rendue heureuse !

Entendre sa mère condamner Julien de la sorte révolta Marion, pourtant elle ne protesta pas. Elle s'habilla et sortit. Il pleuvait encore, une petite pluie de printemps, fine et douce. Sans la douleur qui la rongeait, Marion aurait eu du plaisir à se laisser mouiller le visage.

Le dimanche suivant, elle accompagna ses parents à Peyrolles pour échapper à la tentation de retourner auprès de Julien. Elle ne pensait qu'à ça, aux cinq cents mètres à parcourir pour retrouver le bonheur de se serrer dans ses bras, d'oublier le monde sur le lit où elle était devenue femme. Sans l'enfant qui grossissait dans son ventre, elle aurait probablement cédé.

Ainsi, à mesure que les semaines passaient, Marion attachait de plus en plus d'importance à sa grossesse et se félicitait de ne pas avoir cédé à la facilité de l'avortement. Il lui semblait que sa maladie et le petit être qu'elle sentait désormais bouger étaient liés, que son sacrifice pour lui était le prix à payer pour une guérison définitive. Aussi décida-t-elle d'en parler à sa mère.

Elle choisit un jour où son père était au travail. Bernadette avait bien constaté les rondeurs nouvelles de sa fille, elle avait eu quelques doutes, mais s'était bien gardée d'en parler. Quand Marion lui annonça qu'elle avait quelque chose de très important à lui dire, Bernadette fronça les sourcils, mais ne fut pas étonnée.

– Voilà, commença Marion, j'ai rompu avec Julien parce que...

– Parce que ce n'est pas un garçon gentil et qu'il te rendait malheureuse !

– Ce n'est pas tout.

Marion s'assit et éclata en sanglots. Bernadette la prit dans ses bras.

– Voyons...

– J'attends un enfant de lui !

Bernadette entendait ce qu'elle avait pressenti, mais n'en mesurait qu'à l'instant la monstruosité. Marion qui sanglotait contre elle n'était plus une petite fille, mais une femme et elle en était choquée. Elle lui échappait par la porte interdite du déshonneur.

– Tu en es sûre ? Comment le sais-tu ?

– C'est à l'hôpital qu'ils me l'ont dit.

Cette fois le doute n'était plus possible. Bernadette se leva de sa chaise, puis regarda par la fenêtre et enfin souleva le couvercle de la soupe qui mijotait sur la cuisinière. La révolte montait en elle : comment sa fille avait-elle pu commettre une faute aussi grave ? Se comporter comme ces traînées qui ne se respectent pas ? En devenant femme, Marion la poussait vers un vieillissement qu'elle redoutait. Elle pensa à la petite malade sans cheveux, au bord du gouffre, à ce corps dont il ne restait que la peau et les os, pétri de douleur. Comment lui en vouloir d'avoir dévoré la vie sans discernement, une fois la santé revenue ?

– Voyons, fit Bernadette en modérant le ton de sa voix, avec ce que tu as eu, ce n'est pas prudent. Il faut aller en parler au Dr Muselier. Il fera quelque chose !

Marion s'essuya les yeux et se dressa en face de sa mère :

– Non. Je veux garder l'enfant !

– Mais tu n'y penses pas ! Tu n'es pas mariée et puis...

– Je veux le garder quand même, c'est pour cette raison que je t'en parle, sinon...

Bernadette découvrait tout à coup que sa fille pouvait être déterminée. Ses terribles épreuves, au lieu de ramollir sa volonté, lui avaient forgé un caractère d'acier.

– Mais il faut que le père le reconnaisse, qu'il...

Elle allait dire : « ... qu'il t'épouse ! » et se retint.

– Justement, j'ai rompu pour qu'il n'en sache rien.

Pierre prit très mal la chose, parla de son déshonneur, menaça Marion de la mettre dehors. Pendant plusieurs jours, il ne lui adressa pas la parole, puis finit enfin par admettre la réalité. Il avait trop vécu en compagnie de la mort pour ne pas accueillir sereinement une nouvelle vie.

– Il faudrait que tu te maries !

Il imaginait un mariage arrangé à la va-vite pour sauver les apparences. Bernadette lui fit remarquer qu'une fois de plus il ne pensait qu'à lui et à ce que les autres pourraient raconter sur Marion.

– Pour une fois, on s'en fout ! conclut Bernadette.

Marion ne voulait pas entendre parler de mariage qui aurait sauvé son honneur. Le souvenir de Julien était encore trop chaud pour qu'elle accepte un autre homme. Elle voulait élever son enfant seule.

– Je vais travailler et je me débrouillerai.

Il lui semblait, une fois de plus, que cette obligation la protégerait de la maladie.

Le chantier de la cathédrale fut terminé à la fin du mois de mai. La municipalité communiste avait souhaité que Béruget fasse le minimum, ce qui l'arrangeait car le travail ne lui manquait pas. Des lotissements se construisaient en bordure de la ville et il ne savait où donner de la tête. Matthieu regrettait cependant les hauteurs du clocher.

Souvent, le dimanche, le jeune homme et Nathalie retournaient chez Sylvie. Tout un groupe de garçons et de filles des bonnes maisons de Tulle s'y retrouvaient. C'était le temps de *Salut les copains* et des surprises-parties. Les après-midi se passaient à danser le rock, le twist et à écouter les chanteurs à la mode, Sylvie Vartan, Richard Anthony, Sheila... Matthieu jouait du piano, mais restait toujours malgré lui en retrait des autres, retenu, bloqué par l'image qu'il se faisait de lui-même. Pourtant, le soir, en rentrant, Nathalie lui prenait la main et il la laissait faire, même si le souvenir de Marion, qu'il voulait effacer de sa mémoire, continuait de le brûler.

Un samedi matin, tandis qu'il s'apprêtait à se rendre chez Flamant, Matthieu eut la visite de son père. Armand n'avait pas encore bu, mais sa démarche restait hésitante, comme s'il risquait de tomber à chaque pas. Son regard ne se fixait sur rien, ses yeux sortaient de leurs orbites, on aurait dit un dément.

– Ta grand-mère n'arrête pas de rouspéter ! dit-il en serrant les poings. Un jour, je vais l'étrangler !

Matthieu comprenait que son père était plus à plaindre qu'à blâmer et s'en voulait de l'avoir haï pendant son enfance.

Ils entrèrent dans un bistrot ; Armand commanda un verre de vin, Matthieu un jus de fruits. Tandis qu'il regardait son père approcher le verre de ses lèvres fines, le jeune homme s'imaginait à son âge, devenu une loque identique. « Non, pensait-il, moi, je m'en tirerai parce que je suis plus intelligent que lui ! La solitude ne dévore que ceux qui ne savent pas la dompter. »

– Je suis content de voir que tu t'en tires bien ! fit Armand. Ça va clouer le bec à tous ces médisants qui n'arrêtent pas de parler et en particulier l'Honorine Lagrange !

Matthieu dressa la tête, posa son verre. Son père, cherchant ses mots, sortit son paquet de cigarettes et en offrit une à Matthieu.

– Qu'est-ce qu'elle dit, l'Honorine ?

– Elle dit que tu es un malfaisant. Faut bien qu'elle parle parce que ce qui se passe chez elle n'est pas mieux !

– Et qu'est-ce qui se passe ? demanda Matthieu, intrigué.

– La Marion... poursuivit Armand. Enfin, les gens parlent ! Ils ne disent pas que des choses fausses !

– Ah ! Et qu'est-ce qu'ils disent ?

– Ils disent qu'elle a un enfant dans le ventre !

Matthieu s'étrangla, toussa, devint écarlate. Il réussit néanmoins à se contenir et finit rapidement son verre. Il se leva :

– Faut que j'y aille. Mon prof m'attend !

Son père tourna vers lui un regard triste. Qu'était-il venu chercher dans cette foire et auprès de son fils ? Il soupira, mais Matthieu n'entendit pas cet appel au secours. Le jeune homme s'éloigna, alourdi par l'énorme nouvelle qu'il venait d'apprendre : Marion attendait un enfant et allait donc se marier ! Il avait envie de vomir.

Il remonta à sa chambre. Marion lui échappait donc définitivement ! Depuis qu'il préparait son bac, il se forçait à ne pas penser à elle, mais avait conservé l'espoir de la retrouver. Cette fois, tout était dit : un enfant se dressait entre eux, une nouvelle vie, alors que Marion et lui ne pouvaient se comprendre que dans la maladie, la douleur, la peur de la mort.

Il rangea ses livres et ses exercices de math qu'il devait emporter chez Roger Flamant. Le professeur l'attendrait, mais il n'avait plus envie de travailler. À quoi bon s'obstiner ?

Il prit son vélo et sortit. Madeleine Bousquet qui le vit de sa fenêtre ouverte s'étonna :

– Voilà que vous partez ? Ne deviez-vous pas aller chez votre professeur ?

Matthieu s'éloigna sans lui répondre. Tout en pédalant vers la sortie de la ville, il pensait, malgré lui, à son ingratitude, à son égoïsme. Il se disait seul et pourtant plusieurs personnes lui témoignaient de l'attachement : son patron, Roger Flamant, Nathalie et sa mère. Leur avait-il exprimé sa reconnaissance une seule fois ? L'orage qui grondait en lui emportait tout discernement dans son tonnerre.

Plusieurs dimanches de suite, Matthieu descendit à Brive pour tenter de voir Marion, mais la jeune femme devait se terrer chez elle, puisqu'il surveilla sa rue des après-midi entiers sans l'apercevoir. Peut-être était-elle partie habiter avec son fiancé, mais il n'avait aucun moyen de le savoir. Cela le préoccupait tellement que son travail avec Roger Flamant s'en ressentait. Le vieux professeur fronçait ses sourcils épais et grattait sa barbe blanche du bout de l'ongle :

– Tu n'as pas la tête à ce que tu fais. C'est mauvais ! Tu fais tout mal et tu n'avances pas !

Il ouvrait un livre et s'asseyait à côté de Matthieu :

– Je sais qu'à ton âge on a parfois des préoccupations autres que les études. Mais ne te laisse pas aller, tu tiens le bon bout, alors ne te disperse pas ! Il y aura encore des filles après le bac !

Matthieu ne répondait pas. Le ventre de Marion qui portait un enfant occupait toutes ses pensées. Il avait beau fixer son attention sur son cahier, des images brûlantes défilaient devant ses yeux : Marion nue contre un homme nu, Marion dans ce domaine dont il ignorait tout, ignorance qu'il acceptait tant qu'il la partageait avec elle. Désormais, ils n'étaient plus du même monde !

Et pourtant, le besoin de la voir, maintenant qu'elle était une femme, l'obsédait comme s'il allait découvrir quelqu'un de différent. Dès qu'il avait un moment, il filait à Brive, se postait au coin de la rue et attendait. Un samedi soir, enfin, il la vit. Elle rentrait chez ses parents, vêtue d'un imperméable beige. Elle marchait vite, la tête baissée. Le temps était très doux, presque chaud. Du ciel brumeux tombait une lumière sans ombres. Marion se dirigeait vers lui et il ne se cacha pas. Quand elle le vit, elle ouvrit de grands yeux étonnés, s'arrêta. Il s'approcha, rougissant, car, devant la jeune femme, les images interdites de l'amour défilaient de nouveau devant ses yeux.

– Matthieu ! Qu'est-ce que tu fais là ?

Il haussa les épaules, se sentit tout à coup ridicule.

– Je me promène !

– Et tu habites Brive ?

– Non, Tulle. Je travaille chez un couvreur, mais je prépare mon bac. Tu te souviens du père Flamant ?

– Le vieil original qui vivait dans une roulotte ?

Sa voix avait changé, pourtant Matthieu y retrouvait les intonations de la fillette assise près de la fontaine à Lachaud.

– Oui. C'est un ancien professeur. Il me fait travailler et je pense passer mon bac l'année prochaine.

– C'est bien. Et après, qu'est-ce que tu voudras faire ?

– Demander une bourse pour faire des études supérieures.

– Eh bien, toi !... fit Marion admirative.

Marion ne dit pas à Matthieu qu'elle attendait un enfant. Elle parlait généralement de sa grossesse par bravade, se faisant un point d'honneur de ce qui aurait dû être sa honte : elle avait voulu cet enfant pour tourner le dos à la maladie, mais, devant le voleur de bonbons et d'hosties, elle éprouvait un sentiment de culpabilité. Le cancer les unissait par-delà les ans et leurs différences. Marion sentit un frisson gelé la parcourir.

– Je vais travailler ! dit-elle. Maintenant que je suis guérie, je peux vivre comme tout le monde.

– Et qu'est-ce que tu vas faire ?

– J'ai appris la dactylo et la sténo, alors je vais travailler dans un bureau, comme aide-secrétaire. Plus tard, je passerai les concours de l'administration.

Elle se disait guérie et pourtant Matthieu en doutait. Ses gestes n'avaient pas la détermination de gestes ordinaires. Elle ne se déplaçait pas comme les autres et, dans ses yeux, le jeune homme devinait cette lueur chancelante qu'il connaissait bien.

– Tu peux venir me voir de temps en temps ! ajouta Marion. Ça me ferait plaisir !

En parlant ainsi, Marion le congédiait et il le comprit.

– C'est ça ! dit-il. À une autre fois !

Marion le regarda s'éloigner en proie à un curieux sentiment. Elle posa une main sur son ventre rond. Son enfant serait peut-être un jour comme Matthieu, voleur d'hosties pour la mémoire d'une mère partie trop tôt.

Matthieu ne pensait à rien. La route défilait, les tournants s'enchaînaient. La rivière coulait en contrebas, toujours pressée. Il faisait chaud et le jeune homme transpirait à grosses gouttes. Marion était malheureuse, il en était certain, il l'avait sentie plongée dans une solitude que personne ne pourrait briser.

Il arriva à Tulle à la tombée de la nuit. Roger Flamant l'avait probablement attendu toute la journée, mais il n'avait pas envie de le voir. Nathalie lui avait proposé d'aller à une soirée avec Sylvie et quelques amis, il préféra rester en ville. Près de la gare, dans une ruelle, il avait repéré un bistrot dont l'enseigne « Chez Nénesse » l'attirait. Il n'avait jamais osé y entrer ; ce soir, il posa son vélo et poussa la porte.

C'était une salle sombre, enfumée. Derrière le comptoir, une grosse femme blonde servait quatre jeunes gens qui se tournèrent quand Matthieu entra. Il ne baissa pas les yeux et son attitude provocante montrait qu'il avait envie de se battre. Le plus proche de lui était roux, grand et maigre. Il n'avait pas un mauvais regard, et son sourire invitait au dialogue.

– Toi, je te connais, dit-il. Tu as travaillé sur le clocher de la cathédrale.

Matthieu prit un air étonné. Le rouquin poursuivit :

– Moi, je suis garçon boucher, la boutique en face de la place. Je te voyais tous les jours. Tu prends un verre avec nous ?

Matthieu accepta. En trinquant, il comprit qu'il n'avait pas envie de donner des coups, mais recherchait de la compagnie. Le roux s'appelait Francis Lebel, les autres le surnommaient Saucisse. Il y avait aussi un petit brun aux cheveux coupés en brosse, Jean-Pierre Loutil, le Boss, car c'était lui qui commandait. Il travaillait à la manufacture d'armes.

– Le meilleur de nous tous pour les filles ! précisa Saucisse.

René et Vincent Voutré étaient jumeaux et ne se séparaient jamais. Ils se ressemblaient tellement que personne ne pouvait les différencier et ils multipliaient les farces.

– Pour les filles, c'est mieux ! Quand l'un de nous deux en lève une, il en fait profiter l'autre et personne ne s'aperçoit de rien !

Ils travaillaient dans le garage de leur père et avaient le permis de conduire.

Matthieu parla à son tour de Béruget qui était un bon patron, expliqua qu'il préparait son bac avec un professeur en retraite.

– Mais pourquoi que tu vas pas au lycée ?

– Ma mère est morte, mon père ne vaut pas grand-chose et ma grand-mère ne me supporte pas. Alors je dois me débrouiller tout seul.

Il avait un peu rougi en parlant de sa grand-mère, car ce qu'il venait de dire n'était pas exact et il en avait conscience.

Les autres le regardaient avec curiosité. Loutil lui demanda :

– T'as pas de copains ?

– J'ai pas le temps. Quand j'ai fini mon boulot, je me mets dans mes bouquins.

– Alors tu as une petite amie ?

Matthieu baissa la tête, car il n'avait pas envie de mentir.

– Tu sais les filles, c'est comme les copains, il faut du temps !

– Bon, fit un des Voutré, on va au bal ! Tu viens avec nous ?

– Pourquoi pas ? Et mon vélo ?

– Tu le trouveras en revenant. On va à Cornil. Ceux de Brive y seront sûrement ! Ils cherchent toujours la cogne, ils vont la trouver ! On sera pas les seuls de Tulle !

– Et puis, ajouta le Boss, les filles y sont presque aussi gentilles que sur la montagne !

Matthieu n'avait pas envie de rester seul et surtout ne voulait pas travailler ses cours. Il avait bu quelques verres d'un alcool fort qui lui faisait tourner la tête et se sentait plein d'audace.

Les jumeaux avaient une voiture, une Panhard rouge dans laquelle les cinq garçons s'entassèrent. Au milieu de ses nouveaux amis, Matthieu se sentait euphorique. Il avait l'impression de se débarrasser d'une épaisse coquille, une carapace qui le retenait prisonnier jusque-là.

Le Boss lui expliqua qu'en arrivant ils iraient se chauffer au bistrot, pour être plus à l'aise avec les filles, puis ils se rendraient au bal. Matthieu avait un peu appris à danser lors des surprises-parties chez Sylvie. Il avait toujours dansé avec Nathalie et redoutait que les filles refusent son invitation.

– Tu sais, dit Saucisse, moi je suis pas un grand danseur, je suis même mauvais, alors, les valses, les marches, les rocks, tout ça c'est trop difficile pour moi. Je danse seulement les slows et j'en profite pour placer mon baratin.

– Bon, dit le Boss tandis que la voiture arrivait, le premier qui se lève une nana pense aux autres et lui demande si elle a des copines !

Ils garèrent leur voiture dans un pré, à côté du chapiteau éclairé d'où venait une musique d'accordéon. Les jumeaux étaient passés devant l'entrée en klaxonnant pour se faire remarquer : posséder une voiture était un avantage certain.

Le groupe alla d'abord au bistrot, vider quelques petits verres. Matthieu aurait voulu que cette soirée ne finisse jamais. Le Boss parla de Chantal, une fille de Laguenne avec qui il avait dansé plusieurs dimanches de suite, puis déclara :

– Nous, on est soudés, comme les doigts de la main. Les filles, d'accord, mais les copains passent avant !

Ils entrèrent au bal en jouant des coudes. La salle était bondée. Une épaisse fumée bleue enveloppait la foule. Le bruit était infernal. Saucisse souffla à l'oreille de Matthieu :

– Tu repères une nana, tu t'assures qu'elle est seule et au premier slow, tu fonces.

Les petits verres d'eau-de-vie donnaient à Matthieu une assurance nouvelle. Quand la musique se fit langoureuse, Saucisse lui fit un signe et il osa se lancer. Il n'invita pas la fille en face de lui, qui était vraiment trop belle. Un peu plus loin, il vit une petite brune quelconque et il osa lui demander la danse. Elle accepta et Matthieu, émerveillé se retrouva au milieu de la cohue avec une fille dans les bras dont les grands cheveux chatouillaient sa joue droite.

– C'est ma chanson préférée ! dit la jeune fille en désignant la musique sur laquelle ils dansaient. Elvis Presley, c'est quand même le King !

– Moi, j'aime bien Johnny et Françoise Hardy !

Matthieu avait une préférence pour les chanteurs français de cette année 1965, même si, chez Sylvie, il écoutait les groupes anglo-saxons, les Beatles qui faisaient des débuts fracassants.

Quand la musique s'arrêta, ils se séparèrent avec un sourire complice. Matthieu était serein : d'une certaine manière, la prison de sa solitude s'était ouverte.

Dans la soirée, il osa inviter de nouveau la jeune fille et s'enhardit à danser les marches et les rocks. Vers une heure du matin, les jumeaux décidèrent qu'il était temps de rentrer. Leur garagiste de père serait sur pied le lendemain dès six heures et voudrait les voir à l'atelier avant huit heures. Il ne lésinait pas sur le travail et les deux garçons n'avaient pas du tout envie qu'il supprime la voiture.

Matthieu dit au revoir à sa cavalière.

– Je m'appelle Carole, dit-elle. J'habite tout à côté. Vous irez à Vimbelle, samedi prochain ?

– Moi, je m'appelle Matthieu. Je suis étudiant. Oui, je pense que j'irai.

Ils rentrèrent à Tulle en chantant à tue-tête. Matthieu ne pensait plus à Marion. Il avait chaud au cœur, au milieu de ses nouveaux amis.

Le lendemain, il arriva au travail en retard avec un violent mal de tête. Béruget regarda sa montre dans un geste de reproche. Grandi se mit aussitôt à se moquer de ce jeunot incapable de se lever après une soirée de fête.

Il travailla avec moins d'application que d'habitude. Il rêvait beaucoup, pensait à Carole. Ses copains lui avaient bien dit que ce n'était pas une beauté, il s'en moquait : c'était une fille, cela lui suffisait.

Il n'avait plus envie d'étudier et ne rendit pas visite à Flamant de toute la semaine. Les soirs, tandis qu'Alain sortait avec ses copains, Matthieu écoutait des disques avec Nathalie, souvent dans la salle à manger, parfois dans la chambre de la jeune fille. Mme Bousquet laissait faire, mais ne relâchait pas sa surveillance.

Le vendredi, tandis qu'il s'apprêtait à quitter le chantier, il vit Roger Flamant qui l'attendait, le regard sombre.

– Qu'est-ce qui se passe, Matthieu ? Pourquoi tu ne viens plus travailler ?

– Je suis pas sûr d'avoir envie de passer le bac ! Le métier que je fais me convient très bien. Alors pourquoi me fatiguer ?

– Je n'aime pas t'entendre parler ainsi. Tu es doué ! Ce serait un crime de ta part de ne pas en profiter ! Tu peux te faire une très belle situation... Allez, viens, nous avons perdu assez de temps comme ça !

Matthieu ne sut pas comment se débarrasser de Flamant et suivit l'ancien professeur, mais il travailla mal, sans se concentrer. Désormais, son esprit était ailleurs, au bal avec ses copains. Flamant insista :

– Je te demande de réfléchir... Tu veux aller au bal ? Je le comprends très bien. Mais réserve un peu de temps à tes études. Tu peux faire les deux et, crois-moi, tu ne le regretteras pas !

Matthieu partit sans répondre : il ne savait pas ce qu'il voulait.

Le samedi suivant, Matthieu se rendit à Vimbelle. Carole n'y était pas, il en fut un peu déçu. Une bagarre éclata entre Brivistes et Tullistes qui vida la salle avant minuit. Les gendarmes intervinrent et Matthieu qui se battait avec ses copains put leur échapper. Il savait qu'avec son passé les sanctions seraient plus lourdes pour lui que pour les autres.

Il n'était pas revenu chez Roger Flamant. Chaque soir, il allait au bistrot, lieu de rendez-vous, et ne rentrait chez Mme Bousquet que pour se coucher. Nathalie s'étonna de ses absences. Alain précisa :

– Il fréquente la bande à Boss et passe toutes ses soirées chez Nénesse. Après ça, il dit qu'il prépare son bac.

Alain avait raison. Depuis quinze jours, Matthieu n'avait pas ouvert un livre. Il avait pris goût à la danse en découvrant qu'à défaut de la beauté son sens du rythme lui permettait d'approcher de fort belles filles; désormais il dansait valses, tangos, rocks endiablés, ce qui lui donnait un avantage certain.

Il se laissa emporter ainsi par le tourbillon de sa jeunesse pendant un mois, s'étourdit pour oublier ce qui ne voulait pas mourir au fond de lui : Marion qui attendait un enfant. Il s'en voulait, bien sûr, d'avoir abandonné Roger Flamant et décida de lui rendre visite un soir. Le vieux professeur fut surpris, mais ses yeux brillaient d'une joie contenue.

– Il faut que jeunesse se passe ! dit Flamant, et j'aurais mauvais genre de te le reprocher, moi qui ai tout fait, sauf le bien. Cependant tu as tort... On était sur la bonne voie !

Matthieu avait tout à coup pitié de cet homme à qui il avait fourni une raison de vivre.

– Tu le regretteras, je te dis !

Matthieu ne répondait pas. Il savait que Flamant avait raison, mais toute sa jeunesse se révoltait quand il pensait aux soirées passées à travailler, aux dimanches enfermé dans cette pièce à répéter cent fois le même exercice de mathématiques. Il avait découvert le monde superficiel de la séduction, du flirt, et compris que, malgré son physique, les filles ne le rejetaient pas systématiquement ; il aimait boire un verre avec ses amis, il sortait enfin de l'isolement du Têtard et les arguments de Flamant ne pesaient pas lourd face à ce qu'il considérait comme une revanche.

Le deuxième dimanche de juillet, jour de la fête patronale de Peyrolles, Matthieu se rendit à Lachaud. Depuis qu'il avait vu son père, il éprouvait le besoin de se rapprocher de lui et de sa grand-mère.

Il arriva vers onze heures, après la messe. Armand s'était changé pour se rendre au ball-trap. Coiffé de sa casquette de toile, son fusil sur l'épaule, il partit monté sur une mobylette achetée l'hiver précédent.

Pauline expliqua à Matthieu que la faible constitution de son père ne lui permettait pas d'accomplir correctement les durs travaux de l'été. Le mauvais vin qu'il buvait en quantité embrumait son esprit et il faisait tout en dépit du bon sens ; il fauchait quand le temps tournait à l'orage et faisait pourrir le meilleur foin. Pauline avait beau multiplier les conseils, rien n'y faisait.

Ce que Matthieu attendait malgré lui se produisit. Une voiture beige vint se garer devant l'escalier d'Honorine Lagrange. Marion accompagnait ses parents. Tandis qu'elle montait l'escalier, le jeune homme put remarquer sa silhouette lourde, sa démarche lente.

Il faisait très beau. Les coups de fusil du ball-trap arrivaient jusqu'à Lachaud. Tandis que Pauline préparait le repas, Matthieu descendit se promener dans le chemin de la fontaine. Il passa près de la maison d'Honorine, mais Marion était à l'intérieur. Il poursuivit sa promenade le long de la mare et du pré en pente. Le vieux noyer creux dans lequel la fillette cachait son trésor avait cédé à un coup de vent l'hiver dernier. Il n'en restait qu'un moignon de souche ébréchée au milieu d'un fouillis de ronces.

Matthieu fit demi-tour, s'arrêta près de la mare. Marion, qui marchait lentement dans le chemin ombragé, lui sourit, peu surprise de le trouver là : elle avait dû le voir passer et le rejoignait.

– Il fait vraiment très chaud ! dit-elle. Ici, l'endroit est toujours aussi frais...

– C'est à cause de l'eau et des gros noyers qui font de l'ombre ! dit bêtement Matthieu. Et puis ça sent bon la menthe sauvage.

Le visage de Marion était marqué sous les yeux de taches sombres, comme charbonné par endroits. Elle semblait fatiguée et surtout triste.

– Tu as commencé ton travail? demanda-t-il.

– Pas encore!

Elle baissa la tête, peut-être honteuse. Une tourterelle roucoulait sur une branche basse du noisetier.

– Dans mon état...

– Je comprends! fit Matthieu.

Ils ne savaient pas quoi se dire et pourtant ils n'arrivaient pas à se séparer. Matthieu faisait rouler les cailloux libres du bout de sa chaussure, Marion, gênée, baissait toujours les yeux.

– Je dois remonter à la maison! dit Matthieu. Je vais partir à Tulle après le déjeuner.

– Tu t'y plais?

– Oui, maintenant j'ai des copains, alors, c'est mieux!

– Tu as de la chance! Moi, je vois personne. C'est vrai que...

Il hésita un instant, puis demanda :

– Alors, tu vas te marier?

Elle secoua la tête et leva enfin les yeux sur Matthieu.

– Me marier? Mais qui voudrait de moi?

Une lumière intense venait de s'allumer dans l'esprit du jeune homme.

– L'important, c'est que tu aies retrouvé la santé! Le reste s'arrangera toujours.

Il s'éloigna à regret, car Marion, ce jour-là, était semblable à la petite fille qu'il avait connue ici, toujours aussi fragile. Il arrivait au bout du chemin, à l'endroit où les cailloux humides cédaient la place à la route goudronnée quand il entendit Marion l'appeler. Il se retourna.

– Tu te rappelles, quand j'ai fait ma rechute, que tu m'as accompagnée jusqu'à l'ambulance?

S'il s'en souvenait ! Il n'avait pas oublié un détail de cet après-midi terrible, ni le regard de Marion, au moment où les infirmiers avaient poussé la civière dans le véhicule blanc.

– J'allais en enfer !

Voulait-elle justifier aux yeux de Matthieu sa grossesse par cette souffrance anormale ? Matthieu s'approcha d'elle. Marion eut un sourire qui assombrit les taches de son visage. Le soleil jouait avec l'eau du bac.

– Je ne veux plus que ça recommence !

Elle semblait si seule, si perdue dans ce chemin creux que Matthieu osa tendre vers elle une main timide.

– J'ai si peur ! souffla-t-elle. Tu comprends, tout est difficile dans mon cas.

Elle essayait encore de se justifier. Matthieu ne trouvait pas les mots pour traduire sa pensée et eut le sentiment qu'elle avait besoin de lui. Sa grossesse, en l'éloignant des autres, la lui ramenait. Le jeune homme pensait à la futilité de sa vie et s'en voulait. Ce soir, il n'irait pas chez Nénesse retrouver ses copains, il irait de nouveau travailler son bac !

– De toute manière, tu es guérie !

Elle ne répondit pas, mais un soupir souleva sa poitrine. Un chien aboya quelque part dans le pré en contrebas.

– Oui, je suis guérie ! conclut Marion en s'éloignant.

Matthieu remonta chez sa grand-mère l'esprit torturé. La solitude de Marion face à un avenir incertain le réconfortait et il s'en voulait de son égoïsme. Il déjeuna en tête à tête avec Pauline, son père n'étant pas revenu du ball-trap.

– Il sera bien saoul et il n'aura pas besoin de manger ! précisa la vieille femme.

Pendant le repas, elle se plaignit, mais Matthieu la trouvait différente, plus accessible que d'habitude, moins directive et consciente de ses travers.

– Je parle, je menace beaucoup, mais je suis pas bien méchante !

Le jeune homme rentra à Tulle en milieu d'après-midi. Il n'avait pas envie de rejoindre ses copains chez Nénesse et s'enferma dans sa chambre. Il s'allongea sur son lit et se mit à penser à Marion.

Le lendemain, tandis qu'il se rendait chez Paul Béruget, Saucisse qui devait le guetter de sa boutique l'arrêta sur le trottoir. Le garçon boucher portait son long tablier blanc avec une seule bretelle sur l'épaule droite.

– On t'a attendu, hier. On est allé à Perpezac-le-Noir.

– Et alors ?

– Pas mal. Le Boss s'est levé une fille grande et bossue. Qu'est-ce qu'on a pu rigoler ! On te revoit ce soir ?

– Oui, probablement !

Le Rouquin avait une tête de plus que Matthieu, il était assez mal fait, l'épaule gauche plus haute que la droite, son visage était piqué de taches de rousseur, mais son physique ne le faisait pas souffrir. Il pencha sa figure longue et maigre vers Matthieu :

– Toi, tu as quelque chose qui va pas !

Matthieu haussa les épaules et voulut poursuivre son chemin.

– Au fait, ajouta Saucisse, hier, chez Nénesse, on a vu deux gars qui te cherchaient.

– Deux gars ?

– Oui, mais curieux ! Ils avaient des tronches pas ordinaires. Ils ont dit qu'ils étaient des potes à toi et qu'ils reviendraient ce soir...

– Comment qu'ils étaient ?

– Je te dis, des têtes bizarres. Pas très grands, mais tous les deux assez baraqués. Ils ont dit qu'ils étaient au bahut avec toi.

– On verra bien !

Matthieu s'éloigna pour ne pas montrer son trouble. Les garçons qui le cherchaient étaient probablement deux anciens camarades du centre d'éducation surveillée. Et, s'ils le cherchaient, ce n'était probablement pas par hasard. Matthieu pressentait quelque entreprise louche dont il ne voulait pas. Ce soir, il n'irait pas chez Nénesse.

Ainsi, après son travail, il rentra chez Mme Bousquet, écouta de la musique en compagnie de Nathalie et dîna avec la famille. Alain révisait son bac pour septembre, six points lui avaient manqué pour être reçu en juin. Matthieu fit faire une dictée à Nathalie qui n'avait toujours pas décroché son CAP de coiffeuse. Une fois de plus, il se jura de retourner dès le lendemain chez Roger Flamant.

Marion s'ennuyait. Ses journées s'écoulaient identiques, dans la maison de ses parents. Pour s'occuper, elle faisait la vaisselle, le ménage et lisait. Mais le temps ne passait pas ; l'ennui venait de son corps tout entier, de sa chair. Elle se comparait à une plante dans un pot trop étroit qui manque de terre et d'eau.

Julien hantait toujours ses pensées. Elle rêvait de lui, de ses étreintes, de l'amour qu'ils faisaient dans la petite chambre. Pour l'instant, son gros ventre la préservait, mais, une fois son enfant né, pourrait-elle se passer de lui ? Elle s'occupait à chercher des prénoms de garçon et de fille, notait ceux qui lui plaisaient, mais n'arrivait jamais à se décider sur un choix définitif. Ce jeu la fatiguait vite ; elle s'asseyait derrière la fenêtre et regardait, dans la rue, la vie dont elle était exclue.

Depuis quelques jours, elle ne se sentait pas bien. Une lourdeur des jambes accompagnée de nausée la préoccupait. Des douleurs au ventre, vives comme des coups de poignard, lui arrachaient des grimaces et la glaçaient d'effroi. Elle pressentait que c'était grave, mais n'en parla pas à sa mère pour ne pas l'affoler. Pourtant, un soir, après le dîner, elle avait tellement mal qu'elle ne put le dissimuler plus longtemps. Elle se tordait sur son lit, l'abdomen déchiré de terribles brûlures.

Le Dr Muselier, appelé en urgence, constata que Marion était en train de perdre son enfant et décida de la faire hospitaliser aussitôt. Il ne dit pas le fond de sa pensée à Bernadette, car il pressentait que c'était très grave : jusque-là, la grossesse de Marion s'était passée normalement et il redoutait que la cause de l'avortement soit une prochaine rechute de la leucémie. Il espérait surtout se tromper.

Marion passa une nuit terrible. Sa mère était restée près d'elle et lui tenait la main. La jeune femme hurlait, coupée en deux par la douleur. Au petit matin, elle fut enfin délivrée d'un bébé mort. Le Dr Muselier constata que la mort remontait à deux ou trois jours. Marion pensa alors qu'elle ne pouvait porter la vie, tout ce qui venait d'elle était voué au néant. En quelques jours cependant, elle fut sur pied et put rentrer chez elle.

Avec la santé, la jeune femme oubliait ses idées noires et retrouvait l'envie de vivre. Elle comprenait désormais combien cette grossesse lui avait pesé. Elle redevenait libre de vivre comme tout le monde, même si une sombre angoisse l'étreignait : pourquoi l'enfant était-il mort ? Sa leucémie serait-elle encore tapie au fond de son corps, prête à surgir pour la dévorer ?

L'envie de revoir Julien la harcelait. Elle avait beau se dire que le jeune homme l'avait sûrement remplacée depuis longtemps, ses pas la conduisaient toujours au même endroit, mais il devait avoir déménagé puisqu'elle ne put jamais l'apercevoir.

Désormais libérée, elle chercha du travail et en trouva facilement dans un cabinet de gestion immobilière. Chaque matin, elle se rendait à la Guierle avec le sentiment de fuir la maladie tapie dans ses habitudes. Une fois au bureau, elle s'absorbait entièrement dans son travail de sténodactylo et ne pensait à rien. Parfois le souvenir de Julien lui arrachait une petite grimace, mais elle retrouvait vite la sérénité. Son sérieux, son entrain lui valurent vite l'estime de son chef de service, André Watten, un expert-comptable d'origine hollandaise. Âgé d'une quarantaine d'années, chauve mais élégant, le regard ardent, cet homme aimait plaisanter avec la jeune femme et l'invitait chez lui le dimanche. Marion devint très vite amie avec Élodie Watten, une grande blonde un peu fantasque et d'une gaieté contagieuse. Elle aimait s'occuper de leur petite fille, Rachelle, âgée de quatre ans. La bonne entente du couple, la chaleur de cette famille lui faisaient prendre conscience de la lourdeur de sa solitude. Alors Marion pensait à Julien, mais elle comprenait qu'avec lui une telle harmonie était impossible.

Elle souhaitait se marier pour échapper une fois pour toutes à ses anciennes attaches, mais son expérience la retenait de se pendre au cou du premier venu. Les trois garçons qui lui faisaient la cour, deux collègues de travail et le fils de ses voisins, ne lui plaisaient pas.

Elle eut envie de revoir Matthieu. Aussi accompagna-t-elle plusieurs dimanches de suite ses parents à Lachaud, mais Matthieu n'y était pas. Elle demanda des nouvelles du jeune homme à sa grand-mère. Honorine Lagrange, qui trouvait là l'occasion d'exprimer son animosité contre ses voisins, ne mâcha pas ses mots :

– Ça fait quelque temps qu'on l'a pas vu ! Tu penses bien que le dimanche, il a autre chose à faire qu'à venir ici. Tu verras qu'on parlera bientôt de lui dans les journaux, mais pas en bien !

De retour à Brive, Marion s'enferma dans sa chambre et se mit à fouiller dans ses affaires. Elle n'eut pas longtemps à chercher pour trouver, dans un sac où s'entassaient de vieux objets, une petite poupée rouge, ridicule avec son visage mal dessiné, ses membres trop courts. Elle l'observa un long moment en souriant. C'était le premier cadeau de Matthieu, qu'il avait trouvé dans une pochette-surprise volée.

– Mais tu perds tes cheveux ! constata Marion en rangeant l'objet où elle l'avait pris.

Un matin, en se rendant à son travail, Matthieu aperçut ses deux anciens camarades de détention, Robert Laplace, dit le Teigneux, et Patrick Parable, qui devaient probablement le chercher. Il réussit à leur échapper en se faufilant dans les ruelles voisines. Le soir, en prenant d'infinies précautions, il rejoignit Nathalie à son salon de coiffure.

Leur liaison avait commencé un dimanche de septembre, plein d'une lumière ocre et de cet ennui que répand un épais soleil d'automne. Nathalie et Matthieu s'étaient rendus chez Sylvie qui avait invité ses habituels amis. La rentrée était imminente au lycée, seuls les bacheliers qui se destinaient à la faculté bénéficiaient de quelques semaines supplémentaires. Au milieu de ces étudiants oisifs, Nathalie et Matthieu se sentaient souvent isolés. Matthieu avait beau mentir en disant qu'il préparait le bac, jouer du piano mieux que quiconque, il restait cependant un ouvrier couvreur que chacun pouvait voir sur les toits de la ville.

Sylvie avait évidemment acheté les derniers succès des chanteurs yéyés et Matthieu, une fois de plus, dansa avec Nathalie un rock endiablé qui se termina sous les applaudissements de tous. Vint le slow, et les danseurs, ce jour-là, éprouvèrent l'un et l'autre un trouble nouveau, comme s'ils se découvraient tout à coup alors qu'ils se connaissaient depuis plusieurs mois. Le soir, ils restèrent longtemps dans le couloir, à la porte de la chambre de Matthieu, enlacés, pétris d'un bonheur sensuel, au bord d'un monde qu'ils ignoraient mais dont ils pressentaient les voluptés. L'arrivée d'Alain les sépara brutalement.

Depuis, ils se retrouvaient tous les soirs dans la chambre de Matthieu. Mme Bousquet avait bien remarqué les regards des deux jeunes gens, les manières nouvelles de sa fille, mais ne disait rien.

Pendant la pause de midi, Matthieu rejoignait souvent Saucisse sur la place de la cathédrale. Ils mangeaient un morceau de pain et quelques charcuteries que Saucisse rapportait de son magasin et bavardaient. Matthieu parlait de Nathalie et ses yeux brillaient.

– Amène-la ! On lui fera une petite place dans la voiture !

Matthieu promettait, mais Nathalie préférait qu'ils restent seuls.

Matthieu se laissait emporter par le tourbillon qui l'habitait. Il était bien avec Nathalie, même s'il avait conscience de ne pas en être amoureux. Tout au long de la journée, sautant d'un échafaudage à l'autre, il attendait avec impatience le soir pour retrouver la jeune fille dans l'ombre complice de sa chambre. Ils s'allongeaient sur le lit, se fondaient l'un dans l'autre, mimaient les gestes de l'amour, sans dépasser une limite fixée par une éducation stricte. Le désir les brûlait, mais la peur les retenait. Matthieu ne s'était pas débarrassé de sa timidité auprès des filles et Nathalie résistait à ses pulsions car elle en redoutait les conséquences, pourtant chaque soir ils avançaient un peu plus dans l'exploration réciproque de leurs corps en sachant que l'inévitable se produirait.

Un soir de novembre humide et frais, Matthieu attendait Nathalie à la porte de son salon de coiffure quand deux jeunes gens s'approchèrent de lui. L'un était petit, râblé, brun, le regard fuyant, l'autre était plutôt massif, la tête large. Il avait laissé pousser ses cheveux, mais Matthieu n'eut pas de mal à reconnaître son visage rond, ses petits yeux légèrement bridés. Matthieu eut un geste de recul : ceux qu'il évitait depuis plusieurs semaines l'avaient retrouvé.

– Ça fait un bail qu'on te cherche ! dit Robert Laplace.

– Voilà que tu t'es lancé dans le travail manuel ! ajouta Patrick Parable. Tu vas pas nous dire que tu prends du plaisir à clouer des ardoises sur un toit tout bête !

– Viens donc prendre un verre ! On a quelque chose à te proposer.

– C'est que..., hésita Matthieu, j'attends ma petite amie.

– On n'en a pas pour une plombe. On te propose, tu dis oui ou non, et on n'en parle plus.

Matthieu se laissa entraîner dans le bistrot voisin et se plaça près de la fenêtre d'où il pourrait surveiller la sortie de Nathalie. Patrick et Robert commandèrent un pastis, Matthieu un café.

– Voilà, dit Patrick, on a besoin d'un pianiste, alors on a pensé à toi.

– Un pianiste ?

– Oui, les affaires marchent bien. On a acheté un bar dans le centre de Périgueux. Il nous manque un pianiste pour en faire un piano-bar, comme à Paris.

– Mais je suis pas capable de jouer du piano dans un bar !

– Tu ne penses pas que ce serait mieux que de grimper sur les toits par tous les temps ? Tu joues du piano et, bien sûr, on t'associe aux bénéfices... et ils sont importants.

– Tu comprends, précisa Patrick, ce n'est pas un bar comme les autres. Les clients sont surtout des hommes seuls ! Plutôt des intellos qui ont du pognon. Nos hôtesses se chargent de le leur faire dépenser.

– Des hôtesses ?

– Écoute, fit Robert le Teigneux, qui s'impatientait, puisqu'il faut te faire un dessin, c'est un bar à putes. Elles sont libres, bien sûr, mais elles nous reversent une partie de leurs recettes. On te propose un bon job, alors si tu craches sur une grosse bagnole, sur les belles filles, un appart sympa, bref, la belle vie que tu pourras te payer, si tu préfères rester dans ton train-train pourri, tu fais comme tu veux.

– D'autant, ajouta Patrick Parable, qu'il passe chez nous du beau monde de Paris. Tu peux te faire remarquer et c'est la chance de ta vie ! Je me souviens des musiques que tu inventais, c'était pas dégueulasse, alors pourquoi que tu composerais pas pour des vedettes ?

Patrick et Robert étaient plus âgés que Matthieu. Tous les deux majeurs, ils avaient pu se lancer dans les affaires. Ce qu'ils proposaient à Matthieu était tellement inattendu que le jeune homme ne savait quelle attitude adopter. Il s'imaginait jouant du piano au milieu de gens élégants et de belles filles. La tête lui tournait.

– C'est oui ou non. Il nous faut une réponse immédiate, car on doit trouver quelqu'un.

Matthieu regarda la rue. Nathalie était sortie du salon et l'attendait sur le trottoir.

– Moi, je veux plus d'histoires avec la police...

– Qui te parle de police ? Notre affaire est parfaitement en règle !

– Et les putes ?

– La loi interdit les bordels. Elle ne peut pas interdire à une fille de coucher avec un type ni de recevoir des cadeaux... Toi, tu auras une feuille de paie, comme tous les salariés de l'établissement. Alors, ta réponse ?

Matthieu inspira, vida sa tasse de café. L'aventure le tentait, pourtant il en mesurait le risque.

– Alors, tu te décides ?

– C'est oui ! dit Matthieu.

– On t'attend lundi prochain au Majic Bar, au centre de Périgueux. N'oublie pas, il nous faut une autorisation de ton père.

– Vous l'aurez !

Troisième partie

Les trottoirs de Villejuif

Nathalie pleura quand Matthieu lui annonça son intention d'aller vivre à Périgueux et de devenir pianiste professionnel dans un bar.

– Si c'est avec tes copains que j'ai vus l'autre soir, ça ne me dit rien de bon. Ils ont de sales têtes.

– C'est pourtant une affaire des plus honnêtes. De plus, c'est un bar où passent des grosses têtes. C'est peut-être ma chance !

Il parlait ainsi, mais jamais Matthieu n'avait envisagé de devenir musicien, même si la musique lui manquait.

– Et moi, qu'est-ce que je vais devenir ?

– Pourquoi tu ne viendrais pas avec moi à Périgueux ? Tu trouverais facilement du travail ?

Nathalie sécha ses larmes, se moucha. Elle acquiesça de la tête, tout en pressentant qu'elle ne le ferait pas. Cette séparation lui montrait la part du jeu dans sa liaison avec Matthieu. Et puis le piano n'était-il pas un appât pour entraîner le jeune homme dans une affaire louche ?

Béruget fut très contrarié par ce départ, mais l'accepta :

– Je comprends que, si tu aimes la musique, c'est plus intéressant que les ardoises. Cependant, si ça marche pas, tu peux revenir ici, tu auras toujours ta place.

Il rendit visite à Roger Flamant. Matthieu ne l'avait pas revu depuis la fin du printemps. Flamant se laissait aller et sa chambre avait retrouvé le désordre d'autrefois. Il sortait très peu et avait maigri. Sous sa barbe blanche, son beau visage avait perdu ses rondeurs, son large front s'était fripé, ses yeux de chien battu exprimaient un abattement qui fit mal au jeune homme.

– Tu dis que tu vas jouer de la musique ? C'est bien ! fit Flamant. Mais rappelle-toi, on n'a jamais rien avec facilité. La musique, c'est comme le reste, ça demande beaucoup de travail !

Il alla chercher les deux verres sales et sa bouteille de vin dans le placard. Une fois de plus, Matthieu se sentait coupable de légèreté. Il aurait voulu parler, exprimer sa reconnaissance, son affection, mais il ne trouva pas les mots.

– Tu ne m'enlèveras pas de l'idée que tu as commis une lourde erreur en arrêtant de travailler ton bac. Une très lourde erreur !

Matthieu but son verre de vin et se leva pour partir.

– Si un jour tu as le moindre regret, dit Flamant, tu sais où me trouver.

Le samedi suivant, avant de se rendre à Périgueux, Matthieu monta à Lachaud pour avertir sa grand-mère et son père de son départ. Pauline accueillit froidement sa décision.

– Pianiste ? C'est pas un métier, ça ! Et puis, tu vas pas me dire que tu sais assez bien jouer ! dit-elle en jetant sur lui un regard plein de soupçons.

Armand, au contraire était content. Il allait un peu mieux : depuis quelque temps, des ennuis d'estomac l'empêchaient de boire autant qu'il le souhaitait et son visage avait retrouvé des couleurs.

– Moi, je pense que tu as raison ! La vie est trop courte pour ne pas faire ce qu'on veut !

– De toute façon, trancha Pauline, tu vas bientôt partir au service militaire. Après, on verra. Et surtout qu'on n'entende parler de toi qu'en bien !

Matthieu resta déjeuner à Lachaud. Il apprit que Marion avait perdu son enfant, mais ne montra pas sa joie.

– Elle vient presque tous les dimanches avec ses parents ! précisa Pauline. Si elle avait un galant, on la verrait moins souvent !

Matthieu partit pour Tulle en début d'après-midi en cherchant les termes d'une lettre qu'il envisageait d'écrire à Marion.

Nathalie l'attendait. Ils partirent se promener. Ils étaient un peu tristes, conscients que leur aventure touchait à sa fin, mais ni l'un ni l'autre n'osait en parler. Ils jouaient à imaginer un avenir commun :

– Quand je vais annoncer mon départ à ma mère, sûr qu'elle va m'en vouloir.

– Pour l'instant, n'en dis rien ! recommanda Matthieu. Je reviendrai la semaine prochaine, le jour de fermeture du bar. Tu me rejoindras dans un mois ou deux...

Le lendemain matin, Matthieu boucla sa valise sous le regard triste de Nathalie. Mme Bousquet vint l'embrasser sur les deux joues. Elle n'était pas certaine que Matthieu ait fait un bon choix, mais, comme Pauline, elle pensait que les choses sérieuses viendraient plus tard :

– En attendant votre service militaire, vous pouvez en profiter un peu ! Si ça ne marche pas, ce ne sera pas une histoire !

Nathalie l'accompagna jusqu'à la gare, et pesait à son bras ; ils marchaient lentement pour retarder leur séparation.

Une larme perla au coin des yeux de la jeune fille quand Matthieu monta dans le wagon. Un épisode de sa vie s'achevait, d'autres viendraient, certainement, mais il lui faudrait, avant, affronter des heures vides. Elle rentra chez elle dans une ville grise et dépeuplée.

Matthieu était pressé d'arriver, de voir le bar, les gens qui y travaillaient, les filles et le piano. Une sourde appréhension lui nouait le ventre ; jusque-là, il avait joué pour lui, en se laissant aller, mais dans le bar, au milieu des consommateurs, serait-il à la hauteur ? Avec Laplace et Parable, il fallait s'attendre à tout et il redoutait d'être mêlé à une affaire de proxénétisme qui le conduirait en prison.

Quand il descendit du train, en gare de Périgueux, un rayon de soleil illuminait la ville. Rien n'avait changé depuis le printemps dernier, seuls les grands arbres sur la place voisine avaient été taillés. Matthieu se rendit au bar à pied. Quand il arriva, Laplace l'accueillit avec cette chaleur, cette convivialité dont le jeune homme était capable et qui pouvait cacher les pires intentions.

– Te voilà enfin ! Bon, je vais te montrer où tu logeras. C'est au-dessus. Tu auras Barbara pour voisine.

– Barbara ?

– Oui, c'est son nom de boulot. Ici les filles travaillent sous un pseudo, ce sont des artistes !

Barbara était une blonde pommadée, aux formes très avantageuses. Elle portait un corsage décolleté, une jupe courte qui montrait ses longues jambes bien dessinées. Laplace présenta Matthieu :

– C'est le nouveau pianiste ! dit-il. Et, à ses manières, je suis prêt à parier qu'il est puceau !

Barbara fit un clin d'œil à Matthieu qu'elle ne trouva pas beau, mais avec, quand même, un charme particulier.

– Bon, ajouta Parable, maintenant on va te fringuer. Le pianiste du Majic Bar ne doit pas être attifé comme un ouvrier couvreur !

Le soir, dans son complet sombre, Matthieu avait le trac comme s'il se produisait sur une grande scène. Il fit la connaissance des autres filles, Laetitia, Maryse, Louise et Mauricette. Elles avaient toutes le même genre, très maquillées, et fort peu vêtues. Elles buvaient volontiers un verre avec les clients qu'elles aguichaient et commandaient toujours les champagnes les plus chers. Matthieu joua du piano d'une manière fort médiocre, mais comprit vite qu'il n'avait pas en face de lui un public averti. On lui demandait surtout des airs à la mode qu'il interprétait en se livrant à toutes les fantaisies.

À la fin de la soirée, Parable, qui avait le titre de directeur général, afficha son optimiste :

– C'est très bien ce que tu as fait. On va devenir la coqueluche de toute la ville !

Il souriait, ce qui élargissait encore sa face massive. Matthieu restait sur la défensive.

– On savait qu'on pouvait compter sur toi ! ajouta Parable. Et tu vas pas nous dire que tu n'es pas mieux que sur les toits de Tulle ?

Le bar fermait à une heure du matin. Parable, Laplace, Claude, le barman, se retrouvaient pour un dernier verre avant d'aller au lit. Généralement les serveuses étaient retenues par quelque client pour la nuit. Laplace expliqua à Matthieu :

– Leur vie privée ne nous regarde pas ! dit-il en clignant de l'œil. Nous, ce qui compte, c'est ce qui rentre dans la caisse !

Quelques jours plus tard, heureux de son nouveau travail, Matthieu écrivit à Marion :

Ma vie a changé. J'ai quitté Tulle pour Périgueux. Je suis pianiste dans un bar où passent de nombreuses personnalités. Ce sera, je l'espère, ma chance. Si tu souhaites m'écrire, ou si tu as besoin de moi, tu peux me trouver au Majic Bar, 12, rue des Tanneurs, à Périgueux.

Quand elle reçut la lettre de Matthieu, Marion sourit. Il avait pensé à elle, cela lui plaisait. Elle passait beaucoup de temps chez les Watten, s'occupait de la petite Rachelle qu'elle gardait quand André et Élodie sortaient ; c'était sa seule distraction. Elle n'aimait pas les bals – sa maladie l'avait ainsi éloignée de toutes les futilités de la jeunesse. Elle sombrait dans une morosité de vieille fille qui passait ses dimanches après-midi à tricoter ou à lire. Aux excès du début, à l'euphorie d'avoir vaincu le cancer, succédait une période de désintérêt pour tout ce qui n'était pas son travail.

La lettre de Matthieu lui mit un peu de baume au cœur : il était pianiste, c'était sûrement le début d'une grande carrière ! Elle lui répondit qu'elle était heureuse pour lui, le félicitait et se montrait confiante pour l'avenir. Elle lui parlait aussi de son travail qui la passionnait, de ses amis, les Watten, et surtout de la petite Rachelle qui l'appelait « tante Marion ». *Si tu as un moment et si tu passes à Brive*, ajoutait-elle, *fais-moi signe, on pourrait se voir, cela me ferait plaisir.*

Matthieu jouait de la musique de huit heures du soir à une heure du matin, le reste du temps, il était libre. Il en profitait pour flâner dans la ville et apprendre de nouveaux morceaux. Barbara, sa voisine de chambre, était une fille agréable, toujours souriante et d'une grande générosité. Laplace la prenait souvent à part et la sermonnait vertement car elle faisait « trop de cadeaux » aux clients. Il était très rare qu'elle soit au bistrot à la fermeture : les filles qui logeaient sur place ne devaient recevoir aucun homme dans leur chambre. C'était un principe sur lequel Parable ne transigeait jamais : « Ici, ce n'est pas un bordel ! » déclarait-il, ce qui ne l'empêchait pas de prélever une partie des sommes empochées par ses « employées » qui disposaient d'une autre chambre en ville. Et gare à celle qui tentait de le tromper !

Parfois, le matin, Barbara, qui était rentrée très tard dans la nuit, venait frapper à la porte de Matthieu. La jeune femme avait une peur incontrôlée de la solitude. Elle parlait beaucoup, comme pour échapper à elle-même. Matthieu apprit qu'elle venait de Dunkerque où ses parents alcooliques l'avaient confiée à l'Assistance publique qui la plaça dans une famille. À dix-sept ans, elle s'était s'enfuie pour devenir serveuse dans un bar à Saint-Malo.

– Et puis le temps a passé, d'un homme à l'autre, sans jamais trouver celui qui me convient, et me voilà ce matin, ici !

Elle éclatait d'un beau rire qui montrait ses dents bien rangées. C'était assurément une belle fille sans beaucoup de cervelle, mais dont la compagnie était agréable. Un matin, elle demanda à Matthieu :

– C'est vrai que tu es puceau ?

Il baissa la tête, honteux de parler de ces choses avec une fille. Barbara le regardait en souriant, sans la moindre moquerie. Les mots que Matthieu n'aurait jamais osé prononcer étaient naturels dans sa bouche.

– T'en fais pas, un de ces jours je t'arrangerai ça ! Je t'apprendrai des petits trucs qui pourront te servir plus tard !

– Pourquoi tu restes ici ?

Elle eut un geste des mains, puis rit de nouveau.

– Où veux-tu que j'aille ?

Matthieu soupçonnait Laplace et Parable d'exercer un fort chantage sur les filles. Il avait surpris à plusieurs reprises Parable en train de menacer l'une d'elles. Un soir, il ne se gêna pas pour avertir le jeune homme à son tour :

– Si on est venu te chercher, c'est parce que tu es comme nous, toujours au bord du gouffre. Alors, contente-toi de jouer de la musique et tiens ta langue, sinon tu plonges avec nous !

Le piano-bar connaissait un succès croissant. Beaucoup de clients ne venaient pas pour y rencontrer de belles filles peu farouches, mais pour boire un verre en écoutant de la musique. Comme il était le seul établissement de ce genre dans la ville, aucune concurrence ne gênait Matthieu qui joua chaque soir pendant deux mois sans interruption. Parable le payait bien et il gagnait en une semaine ce que Béruget lui donnait en un mois.

Nathalie lui rendit visite la semaine avant Noël. Elle avait pu se libérer le samedi et Matthieu alla l'attendre à la gare. Il faisait froid et gris.

Quand Nathalie le vit sur le quai, elle courut vers lui et se jeta dans ses bras. Pourtant la conviction n'y était plus. L'un comme l'autre comprirent que le temps du jeu était passé. Ils allèrent se promener en ville, déjeunèrent dans un petit bistrot au bord de l'Isle. La journée passa très vite, car ils n'avaient pas perdu leur complicité. Quand elle dut partir, ils s'embrassèrent sur les joues comme les deux amis qu'ils étaient devenus.

Un matin du début février, Barbara entra discrètement dans la chambre de Matthieu et se glissa dans son lit. Elle était nue et le jeune homme découvrit enfin ce qu'était le corps d'une femme et l'amour physique. Bien que très maladroit, il y trouva un certain plaisir vite oublié dans une angoisse profonde. Tandis que Barbara enfilait son peignoir et repartait chez elle, il lui semblait que l'essentiel manquait pour transformer ces ébats en apothéose : le sentiment qui poussait l'un vers l'autre un homme et une femme, l'amour profond du cœur, le flamboiement de deux âmes unies pour n'en faire qu'une. Ce fut ce qui le décida.

Il expliqua à Parable qu'il avait besoin d'une journée de repos pour se rendre à Brive. Il écrivit à Marion, qui n'aurait pas le temps de lui répondre, mais cela n'avait pas d'importance : il était pressé.

Pendant le voyage entre Périgueux et Brive, Matthieu contenait mal son émotion. Nerveux, il ne réussissait pas à concentrer son attention sur son journal. Marion l'attendrait-elle à la gare ?

À Brive, il descendit du train en titubant, comme ivre. Il avait tout à coup envie de faire demi-tour, car il redoutait d'être déçu une fois de plus. La lettre de Marion l'invitant à venir le voir était bien dans sa poche, mais elle était vieille de près de deux mois !

La jeune femme n'était pas sur le quai, Matthieu pensa que c'était un mauvais présage. En sortant de la gare, il la vit enfin enveloppée dans son manteau noir qui marchait très vite. Elle lui sourit, ils s'embrassèrent.

– J'ai été retardée par ma mère qui veut toujours tout régenter ! dit-elle, hors d'haleine, sans détacher ses yeux du visage de Matthieu.

Le jeune homme avait encore changé. La barbe bleuissait ses joues ; son visage s'était modelé, les cheveux moins raides qu'autrefois, assez longs, cachaient ses oreilles que l'on ne remarquait plus. Il n'était pas devenu beau, mais son état de musicien lui conférait un charme particulier. Le petit paysan de Lachaud, le Têtard, était devenu un artiste plein du mystère de ceux qui ne vivent pas comme tout le monde.

Matthieu, aussi, regardait Marion. Elle lui sembla moins grande, amaigrie, légèrement voûtée. Ses joues s'étaient creusées ; ses yeux gris avaient toujours cette lueur blanche et froide du temps où Matthieu volait des hosties. Les mêmes veines bleues salissaient ses tempes. Une certitude s'imposait à lui : Marion était de nouveau malade !

– Mais enfin qu'as-tu à me regarder ?

Matthieu se força à sourire et eut le courage d'un compliment.

– Rien, je te trouve toujours aussi belle !

– On peut aller chez moi ! ajouta-t-elle en faisant volte-face, mes parents sont à Lachaud pour la journée.

Ils s'y rendirent à pied. Marion parlait abondamment de son travail qui lui plaisait beaucoup, des Watten et de la petite Rachelle. Ils n'évoquèrent pas sa grossesse et son avortement. L'un et l'autre mettaient en avant des choses superficielles pour ne pas penser à ce qu'ils avaient au fond du cœur.

– J'ai de la chance, dit Matthieu. La nature ne m'a pas donné un physique avantageux, mais elle a su se rattraper avec quelques facilités qui me vont bien. Regarde, Marc Martin, que toutes les filles trouvaient si beau à Peyrolles, il est devenu cantonnier !

Matthieu aimait, ainsi, devant Marion, parler de sa réussite. C'était sa revanche sur des années de résignation, de rejet des autres. Il se vantait :

– Moi, on se déplace de loin pour m'écouter !

Il remarqua dans le regard de Marion comme une étincelle d'admiration et il en fut heureux.

Le froid était vif, mais ce n'était pas la raison du petit tremblement des doigts de Marion ni de la pâleur de ses joues cachées sous le fard.

– Je vais t'emmener déjeuner dans le meilleur restaurant de Brive. Maintenant, j'ai les moyens !

– Mais tu veux faire de la musique ton métier ?

– Pourquoi pas ? Pour l'instant, je suis bien dans le bar, choyé par les serveuses et payé plus que je ne l'espérais. On verra après le service militaire !

Marion eut comme une hésitation, il lui prit la main.

– Et ta santé ?

Elle eut un rire franc.

– Ça va. C'est vrai que, depuis quelque temps, je me sens fatiguée, c'est parce que je travaille trop !

À ce moment-là, elle eut une inspiration, son regard se troubla. Elle pensait à ce que lui avait dit le médecin après la perte de son enfant.

– J'ai froid ! dit-elle d'une voix qui avait perdu toute assurance.

Matthieu la serra contre lui, en pensant à des mots pleins de feu qu'il n'osa pas prononcer. Marion s'abandonna. Son corps était parcouru de frissons.

– Allons déjeuner ! dit-elle. De penser à tout ça avec toi me rend fébrile.

Ils sortirent. Marion, en proie à un curieux sentiment d'attirance et de répulsion, prit le bras de Matthieu. Ce n'était pas la première fois que, près du jeune homme, elle sentait le souffle putride de la leucémie, comme s'il en était le messager.

– On va aller à pied, ce n'est pas très loin.

Le restaurant qu'elle avait choisi se trouvait proche de la place du marché de la Guierle. Elle le connaissait pour y avoir mangé avec les Watten. Une agréable chaleur régnait dans la grande salle. Marion et Matthieu furent accueillis par le maître d'hôtel souriant qui leur indiqua leur table.

– Tu sais, dit-elle, je crois que je ne vais pas beaucoup manger. Je te dis, depuis quelques jours, je suis barbouillée !

Matthieu pensait à Marion en train de faire l'amour avec celui qui l'avait engrossée et se dressait entre eux, mais contint son trouble.

– Et ton fiancé dont tu m'as parlé une fois ?

Elle eut un sourire triste.

– Ce n'était pas un homme pour moi !

Matthieu perçut comme un regret, mais n'insista pas. Le serveur apporta les entrées. Marion voulut y goûter puis posa sa fourchette.

– Décidément, ça ne passe pas ! dit-elle sur un ton désabusé. Il suffit que tu viennes me voir pour que...

Elle avait chaud et une impression d'étouffement. Tout à coup, son visage se décomposa, des gouttes de sueur perlèrent à son front, son regard devint vitreux. Elle respirait vite.

– Marion, qu'est-ce qui t'arrive ?

Elle tremblait de tous ses membres. Elle leva un regard terrifié sur Matthieu.

– Je suis mal ! dit-elle d'une voix incertaine.

Elle ajouta quelque chose que Matthieu ne comprit pas. Elle chancela et s'écroula de sa chaise. Un serveur et des clients se précipitèrent. Matthieu souleva la jeune femme qui claquait des dents. Il se souvenait trop bien de la rechute de Marion à Lachaud pour se tromper sur le mal qui la terrassait.

– Vite ! faut appeler un médecin.

Le maître d'hôtel proposa à Matthieu de l'aider à transporter la malade sur un lit à l'étage, ce qu'ils firent tandis que le calme revenait dans la salle de restaurant. Une fois allongée Marion se mit à délirer. Matthieu lui épongeait le front avec son mouchoir. Le Dr Muselier arriva quelques minutes plus tard. Lui non plus ne se trompa pas sur le diagnostic. Ce qu'il avait redouté quand Marion avait perdu son enfant se produisait. Il était affligé.

– Cette pauvre Marion n'a vraiment pas de chance.

– Vous croyez que...

Le médecin approuva de la tête.

– Espérons que ce n'est qu'une fausse alerte...

Deux brancardiers arrivèrent et emmenèrent Marion qui délirait toujours. Il les suivit jusqu'à l'ambulance garée sur le trottoir. Le froid s'était accentué et une poussière de grésil piquait les joues. Sombre, le Dr Muselier se tourna vers Matthieu :

– Je la suis depuis des années. Je la considère un peu comme quelqu'un de ma famille... Elle a tellement souffert !

Matthieu se demandait par quelle coïncidence fatale Marion avait rechuté en sa présence.

– Ma mère est morte de la leucémie ! dit-il.

– Je crois que je vous connais ! ajouta le médecin. Vous étiez son voisin à Lachaud. Vous l'aimez beaucoup ? Ça aussi, je l'ai compris.

– Qu'est-ce qui va se passer ?

– Je ne sais pas. Si c'est une fausse alerte, la fièvre va vite tomber et on n'en parlera plus. Si c'est une rechute, comme je le redoute, on sera vite fixé... Alors, elle sera transférée à Villejuif. Et puis...

Le médecin se dirigea vers sa voiture.

– Vous pourrez passer la voir dans l'après-midi. Elle ira mieux !

Matthieu n'avait plus faim. Il déambula dans la ville au hasard des rues. Le froid lui piquait le visage, mais il ne le sentait pas. Il pensait qu'il était maudit.

Vers quatre heures, n'y tenant plus, il se rendit à l'hôpital et demanda des nouvelles de la malade.

– La fièvre est tombée ! dit un interne.

Il lui indiqua la chambre et Matthieu marcha le long du couloir désert, ce dimanche après-midi. Il hésita à la porte avant de frapper. Enfin, il entra.

Marion tourna lentement la tête vers lui. Son visage se crispa, elle eut un mouvement des mains, comme pour l'éloigner. Enfin, elle lui sourit, triste.

– Pardonne-moi. Ce n'est rien, un simple malaise. Le docteur m'a dit que ça peut arriver de temps en temps, mais je serai sur pied demain.

Il lui prit la main. Un frisson courut dans le dos de Marion.

– Je m'en veux de t'avoir fait passer une aussi mauvaise journée.

– C'est rien ! dit Matthieu. Ce qui compte, c'est que tu te sentes bien de nouveau.

Il sortit sans rien ajouter, comme s'il allait prendre l'air dans le couloir avant de revenir. Matthieu savait que Marion était à la veille d'une rechute grave et qu'il ne la quitterait pas.

Sa décision était prise, il en mesurait la folie, mais s'en moquait.

Matthieu retourna à Périgueux dans la soirée. Barbara, qui lui portait un peu plus d'attention que les autres filles, constata sa mine défaite et son regard sombre.

– Eh bien, Matthieu, tu nous fais une drôle de tête.

Il ne répondit pas. À la fin de la soirée, il ne s'attarda pas et monta dans sa chambre. Les filles étaient occupées à l'extérieur ; Barbara, elle-même, courait à un rendez-vous. Le silence de la maison semblait cacher une bombe. Matthieu ne dormit pas de la nuit.

Le lendemain, décidé, il alla trouver Laplace.

– Je pars ! dit-il.

– Comment, tu pars ? Mais tu ne peux pas ! Tu nous ruines ! Les gens qui viennent de toute la région pour t'écouter... Non, tu ne peux pas nous faire ça !

– Je pars, je te dis ! insista Matthieu.

– Qu'est-ce que tu veux ? Plus de pognon ? C'est d'accord, mais reste !

– Impossible !

Il ne pouvait renoncer à accompagner Marion jusqu'au bout de son chemin de croix. C'était ainsi, net dans son esprit, rien au monde n'avait plus d'importance. Il rassembla rapidement ses effets et partit sans saluer personne. En courant vers la gare, c'était une partie de lui-même qu'il rejoignait, qu'il rattrapait enfin. Son avenir importait peu ; il se débrouillerait bien à trouver du travail quand le petit pécule amassé à Périgueux serait dépensé. Pour l'instant, il n'avait qu'une hâte : revoir Marion !

Quand il arriva à Brive, une pluie glacée commençait à tomber. Il se rendit à l'hôpital et demanda le Dr Muselier. Celui-ci le reçut aussitôt. Ils s'étaient vus peu de temps la veille, mais cela avait suffi pour les rapprocher, pour les réunir en Marion.

– Elle va à peu près ! dit Muselier. Mais les résultats des analyses de sang ne sont pas bons et...

Il se tourna vers la fenêtre. Dans la cour, un camion de livraison manœuvrait. La pluie cinglait les vitres.

– Espérons que ce n'est rien ! Cependant, je ne suis pas optimiste.

– Je peux la voir ? demanda Matthieu.

– Suivez-moi.

Ils empruntèrent de longs couloirs, puis le docteur poussa une porte et fit signe à Matthieu d'entrer. Marion était toujours aussi pâle, mais son visage reposé avait retrouvé un peu de sérénité.

– Je vous laisse, dit Muselier en sortant et fermant la porte.

Marion regardait Matthieu, incrédule.

– Tu es revenu !

– Oui, fit le jeune homme.

Un gros soupir souleva les épaules de Marion. Elle baissa les paupières. Maintenant, elle ne se faisait plus aucune illusion sur son état.

– Je suis seule, murmura-t-elle. Seule à supporter la douleur, seule devant les mois d'hôpital, seule pour aller vers le précipice...

Matthieu lui prit la main. Marion sentit sa peau chaude comme hérissée de petites aiguilles.

– J'ai peur ! dit-elle.

Matthieu serra vivement la main qu'elle lui abandonnait.

– Il ne faut pas ! Le docteur a dit que ce n'était rien !

Les lèvres blanches de Marion esquissèrent un léger sourire.

– Non, je sais que c'est grave ! soupira-t-elle. Je vais repartir à Villejuif. C'est terrible ! La chimiothérapie, les cheveux qui tombent, et surtout la douleur... Et tout ça pourquoi ?

– Qu'est-ce que tu racontes ? Dans deux jours, tu seras sur pied !

Elle secoua la tête et fit la grimace.

– Non. Je sais que c'est la fin !

Elle n'avait plus la force de lutter et se donnait à la fatalité. À quoi bon vivre encore puisque ce serait toujours dans la peur ?

– Et puis, en supposant le pire, dit Matthieu en s'animant, depuis la dernière fois, de nouveaux traitements ont été trouvés !

– Tu es bon ! fit Marion en se forçant de nouveau à sourire.

Elle le regarda fixement. Le lien curieux qui la liait à ce garçon pouvait donc être autre chose que le cancer ?

Le Dr Muselier ouvrit la porte et demanda à Matthieu de le suivre dans le couloir.

– Avec les médicaments, ça va aller pendant quelque temps ! dit-il. Mais je redoute la rechute.

– Et alors ?

Muselier enfonça la main droite dans la poche de sa blouse et se tourna vers la fenêtre.

– Alors, elle sera seule en face de l'ennemi le plus terrifiant que je connaisse...

Matthieu serra les dents.

– Non, elle ne sera pas seule ! dit-il en s'éloignant.

Il sortit de l'hôpital et se mit à marcher sans but dans la rue. La pluie avait cessé, mais il n'y prêtait pas attention. Un sentiment d'injustice le révoltait.

Il retourna à la gare. Un pâle soleil passait entre de lourds nuages. Le jeune homme pensait à Roger Flamant, comme chaque fois qu'il était tracassé. Il arriva à la gare, un train pour Périgueux était annoncé, il hésita en pensant au piano-bar, à la vie facile, à Barbara. Quand le train eut disparu au bout du quai, Matthieu alla consulter le panneau des départs. Un train pour Paris était annoncé dans moins d'une demi-heure. Il acheta un billet, un aller simple, et prit place dans le wagon.

Il lui semblait obéir à un ordre absolu, une volonté supérieure contre laquelle il ne pouvait lutter. Dans quelques semaines au plus, Marion serait à Villejuif, il en était persuadé et devait être prêt pour la recevoir !

Le train arriva à la gare d'Austerlitz à neuf heures du soir. Matthieu se retrouva sur le quai, son sac à la main. Il était à Paris, la ville dont rêvaient tous les musiciens, Paris où Parable disait qu'il ferait une grande carrière de compositeur, Paris qui brillait de toutes ses lumières et dont il avait peur, tout à coup. Un petit vent glacé courait sur le quai. Matthieu frissonnait. Son coup de tête, soudain, lui semblait stupide.

Il sortit de la gare et marcha dans la rue illuminée. Couché sur une bouche de métro un clochard dormait enroulé dans une couverture. Une voiture passa très vite, voiture de luxe dont la peinture lustrée reflétait les lampadaires en une multitude d'étoiles. Matthieu comprit à ces deux images que Paris ne cédait à personne. Les gagnants affichaient leur réussite, les perdants se repliaient sur leur misère.

Il faisait toujours aussi froid. Sur le pont, il regarda un moment la Seine noire traversée d'éclairs lumineux. Matthieu entra dans le premier hôtel, prit une chambre et demanda à dîner. Manger le raccrochait à la vie ordinaire, celle de tous les jours. Il était au pied d'un grand mur et ne savait ce qui l'attendait derrière. En voulant sauver Marion, c'est sa propre existence qu'il remettait en cause.

À Paris tout était plus compliqué qu'ailleurs. Dès le lendemain de son arrivée, Matthieu se présenta à des patrons de piano-bar, des hôtels de luxe qui cherchaient un pianiste, et passa des auditions. Au bout de dix minutes de jeu, il était interrompu et remercié. Il comprit très vite que son niveau, suffisant à Périgueux, était bien trop faible dans la capitale où les bons musiciens ne trouvaient pas toujours de l'emploi.

Il regrettait un peu la vie facile qu'il avait eue en province et se mit en quête d'une place d'ouvrier. Il avait de quoi vivre deux à trois semaines, un mois au plus, ce qui lui laissait un peu de temps pour s'organiser.

Il pensa se rapprocher de l'hôpital de Marion et prit un bus qui le conduisit à Villejuif. La ville se trouvait dans la proche banlieue, mais quelque chose changeait, montrait qu'il n'était plus dans l'agglomération parisienne : les immeubles étaient moins hauts, moins serrés, des petits pavillons au milieu de jardins mêlaient le rouge de leurs tuiles à la grisaille de cette fin janvier.

Matthieu acheta un journal et chercha dans les petites annonces ce qui pourrait lui convenir. Il pensa tout de suite à redevenir couvreur, mais ne trouva rien. Une petite usine qui fabriquait des emballages pour le compte de grosses sociétés cherchait plusieurs magasiniers. Il s'y rendit et fut étonné de la facilité avec laquelle l'affaire fut conclue. Ici, personne ne lui demanda son passé. Il montra son diplôme du BEPC, expliqua qu'il était du niveau du bac et fut embauché.

Pendant une semaine, Matthieu dut se familiariser avec le matériel et la gestion des stocks. Il travailla en doublure avec un de ses collègues et put très rapidement se débrouiller seul. L'usine fonctionnait sans interruption : trois équipes se relayaient jour et nuit, ce qui lui laissait assez de temps libre pour s'ennuyer dans cette ville sans fin où il ne connaissait personne.

Il avait loué une chambre dans un petit hôtel qui faisait aussi pension pour un prix modique. Mme Lebrun, la patronne, était tout le contraire de Mme Bousquet. Ronde, la figure rouge, elle devait boire en cachette et parlait d'une voix aigre avec un fort accent parisien. Matthieu comprit vite qu'elle était généreuse sous son aspect puritain. Une fois de plus, il contrefit l'écriture de son père pour fournir une autorisation à sa logeuse qui s'en contenta.

Comme l'avait prévu le Dr Muselier, Marion retrouva un semblant de santé pendant un mois et demi et put reprendre son travail. Une nouvelle crise de fièvre, beaucoup plus sévère que la précédente, indiqua que la leucémie entrait dans sa phase active.

Ainsi, Marion, bourrée de calmants, accompagnée par sa mère, fut envoyée à l'hôpital Gustave-Roussy, spécialisé dans le traitement du cancer. Le train d'abord, puis le taxi de la gare d'Austerlitz à Villejuif avaient eu raison de ses dernières forces et elle se mit au lit dès les formalités de l'admission réglées. Quand Bernardette fut partie, elle se retrouva seule dans sa chambre blanche, sans la moindre décoration, avec des bruits qu'elle connaissait, des pas dans les couloirs, des éclats de voix dont l'écho lui était familier. L'instant de liberté qui lui avait brûlé les ailes s'achevait et elle se retrouvait à son point de départ, une chambre d'hôpital, but ultime de toutes ses tentatives d'évasion. La prison refermait ses portes blanches et, cette fois, elle n'en sortirait plus. D'ailleurs, elle n'avait plus envie de se battre. Pour quoi faire ?

Elle resta très longtemps les yeux ouverts sur le plafond. À l'heure de la dernière épreuve, son esprit devenait d'une surprenante clairvoyance. Des détails de son comportement pendant ces années de rémission lui montraient les tendances cachées de sa personne et elle se demanda si cette maladie n'était pas née de son propre désir de néant.

Ce qui l'attendait, Marion le savait trop bien. Elle reviendrait des séances de chimiothérapie pantelante, l'estomac retourné et tellement malade qu'elle souhaiterait mourir. Après des semaines de tortures régulières, les médecins décideraient d'arrêter. Les douleurs de son corps s'accentueraient jusqu'à devenir insupportables, alors les doses de morphine l'aideraient à sombrer lentement dans la nuit insensible.

L'arrivée d'une infirmière la tira de ses idées noires. C'était une femme d'une quarantaine d'années, les cheveux très courts et portant de grosses lunettes à monture blanche. Marion lui tendit les bras, la femme vint l'embrasser :

– Te revoilà, Marion ! dit-elle. J'aurais aimé qu'on se retrouve dans des circonstances plus gaies, mais ne t'en fais pas, depuis ton dernier séjour, la médecine a fait des progrès considérables. Cette fois, tu vas guérir, c'est certain !

– Bonjour, Fanchette ! murmura Marion. Je suis quand même heureuse de te revoir.

Fanchette Bérin était l'infirmière en chef du service de pédiatrie dans lequel Marion avait été hospitalisée quatre années plus tôt. Son grand cœur, un humanisme profond rendaient souvent plus supportable l'épreuve des pauvres petits malades qu'elle traitait comme ses propres enfants. Marion était une de ses préférées. La petite provinciale avait peu de visites et Fanchette l'emmenait souvent chez elle.

– Je te promets que tu t'en tireras !

Fanchette souriait, mais lisait l'angoisse dans le regard de la malade. Elle y lisait aussi une autre interrogation qu'elle comprit et précisa.

– Charles est à la Sorbonne. Il prend son temps pour terminer sa licence. Mais tu connais Charles...

Marion acquiesça des paupières. Un léger sourire se forma sur ses lèvres pâles. Le passé revenait tout à coup à la mémoire de la jeune femme. Charles était si beau ! Il avait seize ans, Marion, quatorze. Toutes les filles étaient amoureuses de lui, mais Charles préférait Marion, bien qu'enlaidie par la leucémie.

– Il va passer te voir. Bien sûr, lui aussi aurait aimé te retrouver en d'autres circonstances... Bon, je te laisse.

Fanchette lui caressa la joue et ce contact réchauffa le cœur de Marion. Comment avait-elle pu, pendant ces années de liberté, ne pas penser tous les jours au beau visage de l'infirmière qui l'avait tant de fois consolée, mieux que l'aurait fait sa propre mère ? Elle ne l'avait pas oubliée, mais plaçait Fanchette dans un autre monde, une vie de douleur à laquelle elle ne voulait plus songer. Et Charles ?

Marion fit une petite grimace. Elle avait beaucoup pensé à lui, elle lui avait écrit, mais Charles n'avait jamais répondu. Et puis Julien avait pris toute la place...

Charles était bien différent. Toujours gai, il la taquinait tout le temps, mais savait être tendre et attentif. Charles se destinait à être professeur « pour les vacances », précisait-il. Passionné d'histoire, il voulait faire de la recherche. Son talent de conteur tenait Marion en haleine pendant des heures.

Dès le lendemain matin, les examens médicaux commencèrent. Les résultats permettraient dans quelques jours de définir un traitement adapté. À midi, exténuée, Marion regagna sa chambre avec l'envie de ne voir personne.

La visite de Fanchette lui remit un peu de cœur au ventre. L'infirmière lui annonça que Charles viendrait probablement la voir dans le courant de l'après-midi.

– C'est ce qu'il a dit, mais avec Charles, il faut s'attendre à tout ! précisa-t-elle. Il a toujours plusieurs rendez-vous en même temps. Quand tu crois enfin le saisir, c'est alors qu'il t'échappe !

Elle souriait en évoquant ce fils unique gâté et fantaisiste. L'inconstance de Charles, sa manière de prendre la vie à la légère et de réussir quand même faisaient partie de son charme. On ne pouvait pas lui en vouloir d'un rendez-vous oublié ou d'une promesse non tenue !

– Tout lui réussit ! ajouta Fanchette en remontant ses lunettes blanches.

Marion passa le restant de la journée assise sur son lit à essayer de lire, mais elle attendait Charles. Elle se demanda si Matthieu était retourné à Périgueux et eut alors l'impression de penser à une histoire ancienne, vieille de plusieurs années.

Quelqu'un frappa, Marion sursauta et resta un long moment immobile, le regard fixé sur l'arrivant. Il était là, devant elle, souriant et toujours aussi séduisant. Il avait grandi et était devenu un homme au beau visage d'acteur de cinéma. Ses cheveux châtains, un peu longs, étaient coiffés avec soin. Il était vêtu à la mode du moment, avec un blouson de cuir noir et des pantalons larges.

Lui aussi fut surpris par Marion. Il avait gardé le souvenir d'une adolescente maigre et retrouvait une jeune femme. La maladie donnait à son visage une gravité qui l'attirait. Sa pâleur ajoutait quelque chose de sensuel à l'expression de ses lèvres entrouvertes.

– Marion ! dit enfin Charles en s'approchant, mais n'osant pas se pencher pour l'embrasser.

Elle sourit tristement et, baissant la tête, comme si elle trouvait de l'indécence à sa rechute, dit :

– Ta mère m'a dit que... Enfin, voilà, je reviens...

Marion soupira. Ils n'avaient pas besoin de parler pour comprendre que leur bonne entente d'autrefois pouvait renaître spontanément, mais ils avaient perdu leur naïveté d'adolescent. Marion oublia un instant ses tracas et tendit la main vers Charles.

– Marion... je ne savais pas que...

Il ne trouvait pas les mots et, peut-être par jeu, ne cachait pas son trouble. Marion sentait une douce chaleur envahir tout son corps. Alors les douleurs de ses membres étaient moins fortes, alors elle avait envie de vivre...

– Je suis certain que tu vas guérir très vite et j'espère que tu resteras longtemps, non pas ici, mais à Paris.

Elle haussa les épaules. Sa vie ne lui appartenait pas. Dès demain, elle serait un objet entre les mains des médecins pour sombrer dans l'atroce mal des chimiothérapies.

– Un de ces soirs, je vais t'emmener à la Comédie-Française ou à l'Opéra. La leucémie n'aime pas les gens qui rient et sont heureux ! Contre le bonheur, elle ne peut rien.

Le lendemain, Marion apprit ce qu'elle considéra comme une bonne nouvelle : les premières séances du traitement ne commenceraient pas avant une semaine – les médecins souhaitaient, en effet, lui faire subir un certain nombre d'examens complémentaires. Cela l'occuperait tous les matins, mais les après-midi, elle serait libre de sortir et de disposer de son temps à sa guise. Avant l'épreuve, les médecins ne lui opposaient aucune contrainte; la distraction était bonne pour son moral.

Une semaine de bonheur total, d'oubli, de vraie vie. Charles venait la chercher après déjeuner et ils partaient à bord de la Dauphine du jeune homme. Marion découvrit un Paris qu'elle ignorait jusque-là, ayant eu seulement l'occasion de voir la tour Eiffel, Notre-Dame et le musée du Louvre. Le Paris du Quartier latin, celui de Charles et de ses amis, était insouciant, heureux de vivre et capable de refaire le monde en une soirée. Charles avait loué une chambre de bonne au sixième étage d'un immeuble cossu où il emmena Marion. Une petite fenêtre donnait sur les toits de Paris. Le mobilier était des plus succincts : un lit dans un coin, une table envahie de livres et de papiers, deux chaises, un évier d'émail écaillé et, à côté, sur un placard, un petit réchaud à gaz.

– Mon nid ! dit Charles en jetant son blouson sur une chaise.

Marion se serra contre lui. Il sentait bon, Marion avait envie de se coller à ce corps robuste, de faire l'amour pour y aspirer la bonne santé, pour y puiser un excédent de vitalité.

Quand il la ramena à Villejuif, à la tombée de la nuit, la jeune femme était ivre. Charles lui avait fait oublier la maladie et elle avait retrouvé la force de sa jeunesse. Elle souriait tout le temps, ses joues s'étaient colorées et l'infirmière qui vint lui rendre visite remarqua ses yeux brillants, pleins d'une vie nouvelle. C'était une femme assez épaisse au visage rond, Marion avait envie de l'embrasser.

– L'amour, dit l'infirmière en souriant, c'est le remède à tous les maux !

Matthieu travaillait une semaine le matin, une semaine l'après-midi et, enfin, une semaine la nuit. Il n'eut pas de mal à s'adapter à ce rythme nouveau pour lui. Son travail lui convenait et il l'accomplissait avec sérieux. Il devait tenir à jour les stocks du magasin, commander les produits manquants, noter les sorties... Les heures passaient vite tant il avait à faire et, en quelques jours, ses supérieurs comprirent qu'ils avaient fait une bonne recrue.

– Dommage que tu n'aies pas fait ton service militaire ! lui dit un soir son chef. On pourrait envisager pour toi de la promotion...

– Je dois partir dans moins d'un an !

– C'est pour ça qu'on ne peut pas te former pour autre chose. On verra à ton retour !

De telles paroles réconfortaient Matthieu qui avait toujours besoin d'être soutenu. Désormais, il regrettait d'avoir abandonné ses études. Passer le bac lui aurait permis d'obtenir un sursis, car il redoutait ce séjour à l'armée qui lui rappelait le centre d'éducation surveillée.

Il écrivit à Roger Flamant, le seul homme à qui il pouvait parler sans détour. Il expliqua que Paris était un monde à part, fascinant et démesuré. Il demandait à son ancien professeur de lui envoyer quelques livres. *Je vais quand même m'inscrire au bac*, écrivait-il. *Certes, j'ai pris du retard, mais avec un peu de chance, je peux être reçu. Cela me permettrait de demander un sursis pour mon service militaire.*

Au fil des jours, Matthieu s'habituait aux gens, à leur accent qui faisait de lui un étranger. Il écrivit au Dr Muselier pour lui demander des nouvelles de Marion et apprit ce dont il se doutait. La jeune femme avait été admise à l'hôpital Gustave-Roussy. Comme il travaillait de nuit, il s'y rendit un après-midi et demanda à l'accueil la chambre de Marion Lagrange. L'hôtesse lui indiqua un numéro et précisa que c'était au troisième étage. Matthieu attendit l'ascenseur avec d'autres personnes. Au troisième étage, il chercha un moment, puis frappa à une porte.

– Vous cherchez Mlle Lagrange ? demande une infirmière. Elle est sortie en début d'après-midi et ne rentrera pas avant dix-neuf heures.

Il fut surpris et déçu. Comment une grande malade comme Marion pouvait-elle passer autant de temps hors de l'hôpital, et avec qui ?

– Oui, précisa l'infirmière. Le traitement n'est pas commencé. On lui fait des examens le matin, ensuite, elle peut se détendre !

Matthieu ne posa pas la question qui lui brûlait les lèvres et sortit. Il passa l'après-midi dans l'immense hall, dévisageant les malades reconnaissables à la pâleur de leur visage, au chapeau ou à la perruque qu'ils portaient pour cacher leur calvitie.

Vers sept heures, comme Marion ne revenait pas, il décida de rentrer chez lui. Il traversait le grand parking de l'hôpital quand ses yeux, tout à fait par hasard, se posèrent sur une voiture rouge qui se garait devant lui. Un jeune homme bien mis, dans le style que Matthieu détestait le plus, en sortit et ouvrit la portière à Marion qui portait un petit imperméable beige, car il faisait doux. Matthieu se mordit la lèvre inférieure et eut le réflexe de se dissimuler derrière une camionnette. Le cœur battant, il vit les deux jeunes gens s'embrasser et s'en aller, main dans la main, d'un pas léger vers l'hôpital.

Le tonnerre grondait dans la tête de Matthieu. Marion n'avait pas perdu son temps et n'avait pas besoin de lui, pas plus maintenant qu'au temps où il volait des hosties. La vérité, il ne devait pas se la cacher plus longtemps : Marion était une fille légère qui aimait les hommes et passait de l'un à l'autre avec l'avidité de quelqu'un qui sait son temps compté. Il regrettait d'être parti de Périgueux sur un coup de tête généreux et inutile.

Il rentra chez lui. La nuit tombait, anormalement douce en cette mi-mars. Il s'enferma dans sa chambre et s'allongea sur son lit. Par quelle fatalité le jeune homme s'était-il attaché à Marion, un amour aussi destructeur que le cancer, un parasite qui l'avait mangé tout entier ? Il n'avait jamais pu, depuis le premier jour où il avait vu la fillette malade, supprimer ce poids de son âme qui l'empêchait de bouger, de respirer comme les autres et l'avait conduit jusqu'à cette chambre d'hôtel de la banlieue parisienne, à l'ombre d'un hôpital démesuré, et plus seul que jamais.

Il se rendit à son travail en proie à un écœurement intense. Au petit matin, il ne s'attarda pas dans les rues pour voir les gens rassemblés aux arrêts des bus qui se rendaient à leurs bureaux ou leurs ateliers et partit se coucher.

Quand il se réveilla le soleil illuminait la rue et le mur de l'immeuble voisin. Il se leva, la tête lourde. Le sommeil du jour ne valait pas celui de la nuit, mais Matthieu s'en accommodait quand même. Il avait faim et descendit manger. La pensée de Marion le retenait toujours prisonnier et il ne pouvait décider quoi que ce soit sans l'avoir revue.

Après le repas, il se dirigea une nouvelle fois vers l'hôpital. Le cœur douloureux, il hésita avant de frapper à la porte de la jeune femme. Enfin, il se décida.

Une voix lui répondit, la voix de Marion, et Matthieu comprit qu'elle était seule. Cela lui donna le courage d'entrer.

La surprise se marqua sur le visage de la jeune femme. Visiblement, ce n'était pas lui qu'elle attendait. Elle portait un ensemble rose et devait s'apprêter à sortir. Enfin, elle prononça :

– Matthieu, toi !

Il sourit, fit un pas vers elle. Marion pensait à sa crise de fièvre au restaurant de Brive.

– Mais qu'est-ce que tu fais là ?

– J'habite ici. J'ai trouvé du travail et je loge dans un petit hôtel pas très loin. C'est ma grand-mère qui m'a écrit que tu étais revenue...

Le visage de Marion se ferma. Elle avait envie d'être seule pour mieux penser à Charles, pour l'attendre puisqu'il devait arriver d'un instant à l'autre et qu'il était une fois de plus très en retard.

– C'est que... je dois sortir à l'instant !

– C'est pas grave ! Je peux revenir. J'habite tout près !

Cette façon de parler laissa un moment Marion sans voix. Elle regardait Matthieu qui s'apprêtait à sortir, Matthieu qui attendrait devant la porte qu'elle ait besoin de lui, qu'elle le siffle, comme un chien !

– Et le piano-bar à Périgueux ?

– J'en avais assez ! Je m'encroûtais. Je veux tenter ma chance à Paris. En attendant que ça marche, j'ai trouvé une place de magasinier dans une usine. En ce moment, je travaille de nuit...

Marion consulta sa montre et ne put retenir un geste d'impatience.

– Bon, dit Matthieu, puisque tu es pressée, je vais te laisser. Si tu as besoin de quelque chose, n'hésite pas. Je suis à l'hôtel de la Place, 2, rue des Lilas. C'est facile à retenir.

Il alla jusqu'à l'ascenseur sans se retourner. Marion était sortie sur le pas de sa porte, mais ce n'était pas à lui qu'elle pensait : elle attendait Charles qui ne venait pas.

Marion attendit tout l'après-midi. Fanchette vint l'embrasser et la complimenter sur sa mine ; la jeune femme n'osa pas demander pourquoi Charles n'était pas venu. Une fois de plus, elle avait le sentiment de brûler ses ailes au feu de l'illusion. Un frisson glacé lui parcourait le dos, mais elle le mit sur le compte de l'impatience.

Les heures n'en finissaient pas. Marion aurait voulu accélérer le temps pour se rapprocher de Charles. De sa fenêtre, elle surveillait les voitures sur le parking en face, mais elle ne vit pas la Dauphine rouge. Il faisait pourtant beau, des oiseaux chantaient sur les grands arbres, annonciateurs du printemps.

La nuit tombait. Marion frémit de nouveau. Sa liaison avec Charles durait depuis six jours, six jours d'une intensité inouïe. Les deux jeunes gens s'étaient donnés l'un à l'autre avec la fougue que provoque la conscience de l'éphémère, elle à cause de la maladie, lui, probablement par jeu. Mais pour Charles, six jours c'était déjà beaucoup...

Marion avait froid; elle tremblait et décida de se mettre au lit, comprenant qu'un nouvel accès de fièvre se préparait. Alors elle pensa à Matthieu qu'elle avait éconduit, Matthieu l'ami fidèle. Était-il vraiment venu à Paris pour tenter sa chance dans la musique ou pour l'accompagner dans son calvaire?

L'infirmière du soir la trouva claquant des dents, en proie à un délire intense. Pourtant, l'accès de fièvre ne dura pas très longtemps et elle put passer une nuit à peu près tranquille. Le lendemain, les médecins décidèrent de commencer le traitement plus tôt que prévu.

Vers dix heures, Charles arriva. Marion était au lit, pâle, le visage défait. Il s'étonna, la jeune femme eut un sourire résigné :

– Tu n'es pas venu, alors la maladie en a profité!

Charles expliqua qu'il avait été retenu par un professeur pointilleux qui se perdait dans les détails. Marion n'en crut pas un mot, mais sourit malgré tout. Charles eut un regard vers la fenêtre et elle comprit qu'il s'ennuyait. Lui et elle n'étaient pas du même monde, lui du côté de la frivolité, de la vie facile, elle enfermée dans la prison de la maladie.

– T'en fais pas! dit-elle. Ça va aller!

Il regarda encore la fenêtre. Son impatience se lisait sur son visage. Marion dit alors :

– Tu peux t'en aller... Moi, je suis trop faible pour sortir aujourd'hui. Et puis, je crois que les séances vont commencer dès demain matin...

– Bon, dit Charles en regardant sa montre, je file à la fac. Je viendrai te voir demain après-midi et on avisera. Si tu peux sortir, on ira chez moi, sinon, je resterai ici avec toi !

Elle sourit, montrant qu'elle n'était pas dupe. Charles ne viendrait probablement pas le lendemain, mais cela n'avait pas d'importance. La parenthèse se refermait et Marion, une fois de plus, se retrouvait seule en face de l'épreuve qu'elle savait redoutable. Le courage lui manquait déjà.

Matthieu quitta Marion la mort dans l'âme. Il sortit de l'hôpital avec, cette fois, l'intention de ne plus jamais revenir vers elle. Il allait retourner à Périgueux où l'attendait la vie facile, son piano et les visites de Barbara. Marion ne méritait pas qu'il se sacrifie !

Quand il arriva à son hôtel, une surprise de taille l'attendait. Dans le hall d'entrée, assis sur un fauteuil, deux sacs posés à ses pieds, il vit Roger Flamant qui tourna vers lui un visage amaigri que la barbe ne réussissait plus à remplir.

Matthieu n'en crut pas ses yeux et resta un moment incrédule. Flamant lui souriait sous son large chapeau de feutre.

– Toi, ici ?

Flamant se leva. Il semblait moins grand qu'à Tulle. Ses épaules étaient moins larges, son corps avait fondu. Matthieu serra la main qu'il lui tendait.

– Voilà, dit Flamant, tu m'as demandé des livres, alors avec les livres, j'ai joint le professeur !

– Mais tu te rends compte, ce voyage... ce...

Sa présence était incongrue dans ce hall d'hôtel-pension fait pour de jeunes ouvriers en situation précaire. L'homme qui vivait dans une roulotte au milieu des bois à Lachaud, qui fuyait les autres, n'était pas à sa place dans la grande ville.

– Que je sois à Tulle ou à Paris, c'est du pareil au même. Par contre, il faut que je trouve une piaule ailleurs qu'ici, c'est trop cher pour mes modestes moyens ! Le soldat courageux ne craint pas un mauvais campement !

Matthieu n'en revenait toujours pas. Avec Flamant dans ce petit hall, les murs n'avaient pas leur aspect habituel.

– Pour l'argent, on s'arrangera ! dit le jeune homme. Moi, je travaille, alors je peux t'aider !

– Et quoi en plus ? Depuis quand les officiers prennent-ils la solde des appelés de deuxième classe ?

– Écoute, tu es mon professeur, je vais passer le bac grâce à toi, alors ça vaut bien quelque chose !

– Dans ces conditions, nous aviserons.

– Viens, ajouta Matthieu, nous allons trouver la logeuse, Mme Lebrun. C'est une femme au grand cœur qui pèse au moins cent kilos. Elle te donnera une chambre, parce qu'il est impensable que tu loges avec moi ; c'est trop petit et interdit par le règlement de la maison ! De plus, il faut faire vite, parce que je travaille tout à l'heure.

Une petite chambre était libre, celle que Mme Lebrun louait toujours en dernier et seulement pour les gens de passage parce qu'elle manquait de tout confort. Matthieu expliqua que Roger Flamant était un professeur à la retraite qui venait ici pour lui faire travailler son bac. Une fois de plus les bonnes intentions du jeune ouvrier plurent à la logeuse qui accepta de revoir le prix de la chambre à la baisse.

– Je fais toujours un geste pour ceux qui veulent travailler ! dit-elle. Ils sont peu nombreux et quand on peut rendre service, c'est toujours un plaisir !

Matthieu laissa Flamant s'installer et alla se préparer pour partir au travail. La présence du vieux professeur le réconfortait et il en oubliait que Marion l'avait éconduit. Avec Flamant, c'était la chance qui revenait, la fin des heures de solitude dans sa chambre à penser toujours aux mêmes choses.

Le lendemain matin, il dormit quelques heures et se réveilla en milieu de matinée encore fatigué. Il ouvrit ses volets et constata qu'il pleuvait. Il descendit frapper à la porte de Flamant et trouva le vieil homme assis à sa petite table avec des livres ouverts, en train d'écrire.

– Il est urgent de t'inscrire au bac. Cette fois, je ne vais pas te laisser t'échapper. D'ailleurs, tu n'as pas le choix : c'est la seule solution pour obtenir un sursis d'incorporation...

Flamant revivait. Il n'avait pratiquement pas dormi de la nuit tant il était pressé de potasser les cours de Matthieu.

– Allez, au boulot !

– Une seconde, mon commandant, les troupes ont faim !

Pendant toute la journée Matthieu travailla sans relâche. Les yeux de Flamant pétillaient de bonheur : son élève n'avait rien perdu de ce qu'il lui avait appris avant de faire « n'importe quoi ».

– Je dis pas que la musique, c'est pas bien ! Tu vas la prendre en option, histoire de ramasser quelques points, mais ce que tu faisais dans ce bar, ce n'était pas de la musique !

– Et qu'est-ce que c'était ?

– Du bruit ! Du bruit pour attirer les clients solitaires, car dis-moi, la vérité, c'était un bordel ?

Matthieu sourit, ironique.

– Non, mon commandant, c'était un lieu où les hommes seuls pouvaient faire facilement des rencontres !

– Assez ri ! Au travail !

Matthieu aurait voulu s'échapper un instant pour aller flâner du côté de l'hôpital et tenter de revoir Marion. Il avait beau se répéter que la jeune femme ne pensait pas à lui, aller vers elle restait le but de chacun de ses gestes.

Il ne put cependant se libérer. Flamant n'en finissait pas et oubliait de manger. Matthieu pouvait être tranquille : désormais, il ne s'ennuierait plus le dimanche !

Épuisée, l'estomac retourné, Marion, allongée sur son lit, gardait les yeux fermés. Elle était si mal qu'elle aurait voulu fuir son corps, s'envoler en dehors de cette masse de chair immonde. La première séance de chimiothérapie s'était bien passée, selon les médecins. Elle en subissait les conséquences : une journée d'épuisement total, incapable d'absorber la moindre nourriture. Ensuite, elle irait un peu mieux jusqu'à une nouvelle séance. Dans quelques jours, son peigne arracherait la première touffe de cheveux, la peau claire et lisse de son crâne apparaîtrait par plaques. Tous les poils de son corps tomberaient, tous, et cette nudité avait la laideur de sa maladie. L'humiliation totale et permanente la ferait fuir les regards des autres, posés sur elle comme une condamnation.

Fanchette passa la voir et sut trouver quelques mots de réconfort. L'infirmière s'assit sur le rebord du lit et lui prit la main. Toutes les deux pensaient à Charles, mais n'en parlèrent pas.

– T'en fais pas, dit Fanchette. J'ai vu le Dr Thivier. Il est confiant : les nouveaux médicaments sont très efficaces !

Marion se força à sourire. Quand Fanchette fut sortie, elle mesura l'ampleur de sa détresse. Charles arriva dans la soirée, pressé comme d'habitude. Il l'embrassa du bout des lèvres comme s'il avait peur d'être lui-même contaminé, s'assit sur la chaise, assez loin de la malade.

– On prépare les examens ! dit-il. J'ai du boulot par-dessus la tête.

– Retourne travailler ! dit Marion en se forçant à sourire. Je ne vaux pas grand-chose pour l'instant !

– Dès que tu iras mieux, je t'emmènerai en balade !

Marion savait qu'il n'en ferait rien. S'afficher avec une fille dépourvue de la moindre pilosité n'était pas dans le genre de Charles. Il ne supporterait pas de la voir dans la nudité d'une grosse larve pour laquelle il ne pourrait éprouver du désir. Les filles en bonne santé ne lui manquaient pas.

Quand Charles fut parti, la chambre sembla immense et vide à Marion. Elle pensa à Dieu. Elle avait appris au catéchisme que Dieu aimait les hommes et qu'elle devait accepter l'épreuve terrestre qui préparait son âme à l'éternité. Ce genre de marchandage indigne la ramenait à Matthieu. Lui n'avait pas peur de Dieu et osait le défier ! Il était fort, solide dans ses pensées. Quelle différence avec Charles, léger, capable de changer d'avis plusieurs fois par jour. Pourquoi l'avait-elle éconduit ? Ce soir, Marion le regrettait, tant sa solitude était lourde à porter.

Au bout de trois jours, l'état de Marion s'était amélioré, mais les médecins ne lui laissèrent aucun répit.

La deuxième séance de chimiothérapie la laissa de nouveau au bord du gouffre, avec des envies de mort rapide en tête.

Et pourtant, les jonquilles fleuries annonçaient le printemps. Bernadette lui écrivait presque tous les jours, mais Marion n'ouvrait pas les lettres qui s'entassaient dans le tiroir de sa table de nuit : elle n'avait pas la force ni l'envie de répondre. Pour dire quoi ?

Depuis trois semaines, Matthieu travaillait à son bac sans relâche. Il s'était enfin inscrit à l'examen, et, ayant raté la gymnastique au début du mois d'avril, se retrouvait avec cinq points de retard qu'il pourrait, cependant, rattraper à la mi-mai avec l'épreuve de français dans une session spéciale pour les candidats libres.

– Tu aborderais le reste avec quelques points d'avance ce serait mieux. Pour l'instant, tu dois limiter les dégâts ! dit Flamant. Reste la musique...

Matthieu en doutait. Le musicien que l'on applaudissait à Périgueux avait compris, lors des auditions à son arrivée à Paris, que son niveau restait des plus moyens.

– Et puis j'ai pas de piano pour m'entraîner...

– Bah, on verra !

Flamant s'occupait de tout. Il était allé chercher un dossier pour la demande de sursis militaire du jeune homme et préparait les cours avec un enthousiasme qui l'avait rajeuni. Son visage retrouvait les rondeurs d'autrefois, sa silhouette se renforçait.

– Le pire, disait-il, c'est de n'avoir rien à faire !

Le printemps était beau, cette année-là. Chaque fois que Flamant lui laissait un peu de temps, Matthieu allait rôder du côté de l'hôpital, espérant apercevoir Marion. Un après-midi, il décida d'aller lui rendre visite en se disant que ce serait la dernière fois si elle le rejetait.

Il monta au troisième étage, hésita. Devant lui, des infirmières poussaient un chariot plein de boîtes et de petites bouteilles. Des malades, en robe de chambre, faisaient les cent pas. Une forte odeur de médicaments piquait les narines.

La porte de Marion était entrouverte. Matthieu s'en approcha et jeta un regard à l'intérieur. Il vit une jeune femme assise sur son lit qui lisait ; son crâne chauve luisait à la lumière de la fenêtre. Il crut s'être trompé de chambre : cette personne ne pouvait pas être Marion ! Il regardait sans pouvoir s'en détacher la tête énorme, monstrueuse dans sa rondeur. Le cancer lui montrait son véritable aspect, celui de la dégradation, de l'humiliation totale. Marion leva ses yeux sans cils ni sourcils, ce qui lui donnait un regard irréel de poupée en celluloïd, de reptile. Elle sursauta, tira l'oreiller sur sa tête.

– Marion...

– Va-t'en ! s'écria la malade. Je veux voir personne. Tu entends, je veux voir personne !

Matthieu ne broncha pas. Il comprenait le désarroi de la jeune femme et fit un pas vers elle.

– Je suis là pour t'aider, Marion. Les autres sont partis ; moi, je reste, comme toujours !

Elle hésita un instant. Charles s'était éclipsé depuis longtemps et Fanchette évitait de lui en parler. Charles n'avait pas la force de supporter le fardeau du cancer, mais Matthieu n'était pas du même bois. Son bras solide, qui avait déjà soutenu Marion, pouvait l'aider à affronter la douleur et la déchéance.

– Je suis laide ! ajouta-t-elle. Je ne veux pas qu'on me regarde !

Matthieu s'approcha d'elle. Malgré lui, ses yeux ne pouvaient se détacher de cette peau lisse et blanche du crâne.

– Je veux mourir !

– Qu'est-ce que tu racontes ? Tu vas guérir ! Ce n'est qu'un mauvais moment à passer !

Elle leva de nouveau ses yeux ronds qui avaient perdu leur lumière, des yeux résignés.

– Tout le monde me dit ça ! Ce sont des mots pour rien, complètement vides !

– Non, tu n'as pas raison. Il faut te distraire, penser à autre chose qu'à ta maladie.

– Comment veux-tu que je sorte dans cet état ?

Matthieu réfléchit un instant, inspira.

– Je vais te trouver une perruque qui t'ira aussi bien que tes cheveux naturels ! Je vais...

– Tu es bon !

Elle n'avait plus la force de lutter. Elle se laissa tomber sur son oreiller qu'elle rabattit par-dessus sa tête nue et se mit à pleurer.

– Je reviendrai demain et tous les jours ! dit Matthieu. Je travaille mon bac avec le père Flamant qui m'a rejoint ici, mais je trouverai le temps. Je serai avec toi et tu vas guérir !

Il sortit pour ne pas entendre une dernière parole d'abattement. De retour à l'hôtel, il trouva Flamant, ses lunettes au bout de son minuscule nez, en train de recopier au propre un exercice de maths qu'il avait eu beaucoup de mal à résoudre.

– Faut trouver une perruque pas trop ridicule pour Marion ! dit tout à coup Matthieu.

Flamant leva les bras au ciel. Il voulait bien enseigner les maths et la philosophie, mais il ne connaissait rien en coquetterie féminine.

– Tu ne vas pas me dire que tu ne t'es jamais intéressé aux femmes ?

Flamant parlait très peu de lui. Matthieu ne pouvait l'imaginer jeune homme ou adolescent. Sa solitude et son âge semblaient sans fin.

– Quand j'étais professeur, j'ai connu une femme. Je n'ai jamais été le genre séducteur et papillon qui vole de fleur en fleur. Non, j'ai toujours été très simple. Oui, j'ai connu une femme...

Son regard s'était assombri, il baissa la tête, les épaules basses, comme écrasées par ce souvenir.

– Nous étions si bien ensemble !... Et puis l'Indochine, l'Algérie, l'aventure... Quand je suis revenu, elle était mariée et avait deux enfants. Alors, je me suis installé dans la roulotte à Lachaud... C'est pour ça que je t'approuve d'avoir suivi Marion jusqu'ici.

– Tu n'as pas eu envie de trouver quelqu'un d'autre ?

– Et toi ? Tu n'as pas envie d'une fille en bonne santé ?

Il leva les yeux sur Matthieu, montrant qu'il ne voulait pas évoquer plus longtemps un souvenir resté douloureux.

– Alors, cette perruque, on va la chercher ?

– Demain après le boulot.

Le lendemain en début d'après-midi, ils prirent le métro et se rendirent dans le quartier de la Bastille. Ils entrèrent dans plusieurs boutiques. Les vendeurs souriaient en voyant ce quinquagénaire à l'abondante pilosité blanche et ce garçon choisir une perruque pour femme brune.

– C'est pour une malade ! précisait Matthieu d'un air entendu.

On leur proposa de nombreuses perruques fort belles, mais qui n'étaient pas dans leurs prix. Ils finirent cependant par en trouver une convenable et ils rentrèrent vite, car Matthieu avait hâte de l'apporter à Marion.

– Reviens vite ! N'oublie pas que le bac c'est dans moins de deux mois ! dit Flamant.

Matthieu trouva Marion prostrée dans son lit, les yeux fermés, comme attendant la mort. Elle ne vivait plus, elle n'était qu'une larve informe. Même la pensée de Dieu ne la réconfortait pas.

Quand il entra, elle tourna la tête et vit le paquet.

– Regarde !

Il s'assit sur le lit et lui montra la perruque. Ainsi, sans le volume du crâne, sans l'expression de la figure, ces cheveux sur une calotte souple étaient monstrueux, démunis de sens, comme la dépouille d'un animal. Marion ne voyait que cet aspect repoussant.

– J'en veux pas ! dit-elle.

– Mais si, Marion, il faut que tu l'essayes.

Il voulut la lui poser sur la tête, elle se protégea avec les mains. Marion avait le vif sentiment d'être ridicule en se parant ainsi de cheveux artificiels. Elle se tourna vers Matthieu et eut un petit sourire :

– Demain... demain, si tu reviens, je l'aurai peut-être essayée, mais pas devant toi, je veux être seule.

Il lui prit la main et la serra fort.

– Marion, il faut que tu prennes cette perruque, parce qu'il fait bon dehors et je veux que tu sortes, que tu viennes sentir l'odeur des fleurs. C'est le printemps...

Une fois de plus les larmes montèrent aux yeux de la jeune femme.

– À quoi bon, puisque c'est mon dernier printemps !

– Non, c'est pas ton dernier printemps. Tu en auras encore beaucoup, parce que tu vas guérir. Moi j'ai assez de force pour deux !

Elle soupira.

– Je passe mon bac en juin, poursuivit Matthieu. Ça va me permettre de repousser de plusieurs années mon incorporation dans l'armée. Je vais m'inscrire à la Sorbonne et j'aurai le temps de t'aider.

– Et la musique ?

Il baissa les yeux, resta un instant silencieux, puis dit enfin :

– C'est pas pour la musique que je suis venu ici. C'est pour toi !

Le lendemain, après le travail, Matthieu courut voir Marion. La jeune femme avait enfin mis la perruque sur sa tête et il la trouva transformée. Son choix n'avait pas été aussi mauvais qu'il le redoutait. Marion n'avait pas retrouvé son abondante chevelure naturelle, mais un aspect très présentable. Elle avait souligné ses sourcils absents d'un trait de crayon noir, cela redonnait vie à son visage.

– Marion, tu es superbe !

– Ne te moque pas de moi !

Elle s'était habillée, ce qui sembla de bon augure au jeune homme. Elle avait beaucoup maigri et flottait dans sa jupe. Matthieu lui proposa une promenade.

– Je suis très fatiguée ! dit-elle. Je ne sais pas si j'aurai la force d'aller bien loin.

– Tu n'auras qu'à t'appuyer sur moi.

Elle lui prit le bras et ils se dirigèrent vers l'ascenseur.

– Ça me fait bizarre de te voir ici, dans ce lieu sinistre !

Ils traversèrent le grand hall, toujours rempli de gens, et sortirent. Le soleil était doux, agréable. Des oiseaux chantaient dans les massifs voisins.

– Tu ne vas quand même pas laisser tout ça ! dit Matthieu.

Mais Marion n'avait plus de force. Les médicaments avaient vidé son jeune corps d'une partie de sa vie. Il fallut rentrer et Matthieu dut la supporter car elle peinait à se tenir debout.

– On recommencera demain !

Le lendemain, une mauvaise surprise l'attendait. La jeune femme avait subi une nouvelle séance de chimiothérapie et gisait sur son lit en proie à ce mal sans nom, qui n'est pas vraiment douleur, mais envie de se vomir, envie de mourir, tant chaque battement de cœur est difficile à supporter. Elle tourna vers lui des yeux révulsés. Matthieu la serra dans ses bras et elle se laissa aller dans sa chaleur, consciente de ne plus être du côté de la vie.

Tous les jours, soit le matin, soit l'après-midi, Matthieu rendait visite à Marion. Il avait rencontré Fanchette qui ne cessait de faire l'éloge de « ce jeune homme si dévoué ! ». En parlant ainsi, l'infirmière critiquait sans le dire la légèreté de son fils qui avait totalement délaissé la malade.

Matthieu passa le bac à la fin juin. Flamant était tellement confiant dans le succès de son élève qu'il considérait l'épreuve comme une simple formalité. Il avait raison puisque Matthieu fut reçut avec la mention assez bien, ce qui lui permettait d'envisager sa vie autrement. Il pouvait, en effet, prétendre à une bourse pour se lancer dans des études supérieures et repoussait ainsi de quelques années le service militaire. Il hésitait avant de démissionner de son travail, car ses supérieurs étaient contents de lui et il était assez bien payé.

Malgré les séances de chimiothérapie, l'état de Marion ne s'était pas amélioré. Elle s'affaiblissait de jour en jour et les douleurs dans ses membres lui arrachaient des cris aigus. Fanchette n'avait plus grand espoir. Elle avait vu tant de cas de ce genre et en connaissait toutes les étapes jusqu'à l'issue fatale.

– Mais il faut faire quelque chose ! s'insurgeait Matthieu.

– On fait tout ce qu'il est humainement possible de faire ! Vous pensez bien que c'est un déchirement.

Maintenant, Marion gardait la chambre, incapable de se déplacer sans s'appuyer contre le mur ou sur une chaise, elle marchait comme une petite vieille. Son visage s'était de nouveau ridé et son extrême maigreur, en durcissant ses traits, l'enlaidissait. Les calmants pour gommer les terribles douleurs ne lui laissaient plus la force de s'habiller et elle somnolait une partie de la journée, les yeux clos. Matthieu passait de longues heures à son chevet, lui prenait la main, lui caressait la joue. Parfois, elle tentait de lui sourire ; souvent, elle restait insensible.

Ses parents vinrent au tout début du mois de juillet. Le médecin ne leur avait pas caché la vérité et Bernadette avait les yeux rouges. Elle réussit cependant à ne pas pleurer devant sa fille. Pierre garda un silence pesant. Marion voulut les rassurer et dit d'une voix faible qu'elle se sentait mieux depuis quelque temps. Ils partirent pour Brive en se disant qu'ils ne reverraient pas leur fille vivante.

Libéré des études, Matthieu lui consacrait tout son temps. Il lui soufflait à l'oreille des paroles d'encouragement, espérant, même si la malade restait apparemment insensible, provoquer dans son esprit inconscient une réaction, un sursaut :

– Marion, je t'en prie, te laisse pas aller ! Défends-toi ! Serre les dents et tape sur la table !

Parfois Marion ouvrait les yeux qu'elle tournait lentement vers le jeune homme. Ses lèvres blanches bougeaient en un sourire à peine visible.

Alors Matthieu sortait de l'hôpital, furieux, et partait au hasard des rues. Comme il aurait volé volontiers des hosties si cela avait pu rendre un peu de force à Marion ! Mais il ne croyait plus en Dieu. Il savait, depuis longtemps, que les hommes étaient orphelins dans l'immense univers, qu'il n'existait pas de rédemption et que les souffrances de ce monde ne trouveraient jamais le moindre écho ailleurs. Elles restaient gratuites et cela le révoltait !

En ce début de mois de juillet, le jeune homme vivait dans une colère permanente et contagieuse. Parfois, il faisait des paris stupides : « Si elle guérit, pensait-il, c'est juré, je vais à la messe tous les dimanches ! » Il se reprenait vite et disait à Roger Flamant :

– Tu me vois, tous les dimanches en habit noir, écouter les fadaises du curé !

Flamant professait un athéisme total qui confortait Matthieu dans ses convictions.

– Je crois, disait-il que l'univers n'a ni début ni fin. Ajouter à cela un Dieu éternel ne fait que compliquer les choses. Et puis s'il existait pourquoi se cacherait-il ?

– Pour ne pas se faire engueuler !

Matthieu guettait le moindre signe d'amélioration sur le visage de Marion, mais il devait se rendre à l'évidence : l'état de la malade ne cessait de s'aggraver, le Dr Thivier devait augmenter régulièrement les doses de calmants, ce qui indiquait que Marion entrait dans la phase terminale de son calvaire.

Pourtant, le soleil brillait, l'été souverain illuminait la ville ; des enfants jouaient dans les jardins publics... Marion ne voyait rien de cela ; enfermée dans sa chambre, elle était déjà dans le réduit du caveau. Ainsi isolée des autres, au bord de la mort, comment pouvait-elle se raccrocher à la vie ?

Matthieu eut une idée. Il alla trouver Fanchette et lui dit :

– Elle ne se bat plus. Elle se laisse aller. Ce qu'il faut, c'est lui donner l'envie de réagir !

Fanchette se trouvait dans son minuscule bureau d'où elle dirigeait les infirmières du service de pédiatrie. Depuis de nombreuses années, elle combattait le cancer et savait que les meilleurs remèdes restaient la volonté profonde du malade, son instinct de vie farouche, mais qu'au-delà d'un certain niveau de souffrance le malade perdait toute réaction. La pieuvre avait gagné et pouvait dévorer tranquillement sa proie qui ne réagissait plus. Marion en était à ce stade.

– Il faudrait un miracle !

Matthieu en imposait à Fanchette. Ce jeune ouvrier qui venait de passer le bac montrait une détermination peu commune. Sa gravité, son sérieux tranchaient sur la frivolité de Charles et elle se sentait obligée de l'écouter.

– Ma mère est morte de cette saleté ! disait-il, les poings serrés, et Fanchette comprit qu'il réglait un vieux compte.

Il trouvait la chambre de Marion sinistre avec ses murs nus, son armoire en bois blanc et le lit d'hôpital en fer.

– Il me semble que si on pouvait la sortir, lui montrer le soleil, la vie, l'été, elle réagirait !

Fanchette était toujours étonnée de la crédulité naïve de ceux qui ne connaissaient pas le cancer et sa force redoutable. Pourtant, la proposition de Matthieu la tentait, elle décida :

– Je vais vous trouver un fauteuil roulant. Au point où nous en sommes, cela ne changera pas grand-chose, même si elle se fatigue un peu plus !

Matthieu sourit :

– C'est exactement à cela que je pensais. Je pourrais la promener. Elle entendra les cris des enfants, elle sentira les odeurs de l'été...

Le Dr Thivier ne s'opposa pas à cette idée qu'il jugeait pourtant stupide. Pour lui, tout était dit : Marion sombrait inexorablement vers la mort ; il avait arrêté tous les traitements.

Fanchette aida Matthieu à habiller la malade, plaça la perruque sur son crâne lisse et ils l'installèrent sur le fauteuil. Entre de longues périodes de somnolence, la jeune femme retrouvait parfois ses sens.

– On va se promener ! lui dit Matthieu.

– Je vous accompagne ! insista Fanchette.

Ils sortirent. C'était en fin de matinée ; un soleil puissant inondait la rue d'une lumière vive qui faisait mal aux yeux. La chaleur était encore supportable. Matthieu poussait le fauteuil de Marion en suivant les ombres. Tout en marchant, il lui parlait :

– Regarde les enfants qui jouent aux billes...

Et Marion regardait. Il lui semblait se réveiller d'un très long sommeil. Une force qui venait de tout son être la poussait de nouveau à fermer les yeux, à s'abandonner, mais la voix de Matthieu la retenait sur ce rivage, l'obligeait à regarder un papillon, une fleur, à écouter les bruits de la ville. Matthieu qu'elle avait cru porteur de la maladie fut, durant cette promenade, celui qui la tenait en vie.

– Marion, regarde cette petite fille. Tu lui ressemblais la première fois que je t'ai vue !

Il fallut vite rentrer, car Marion était exténuée et respirait difficilement. Fanchette n'avait pas dit un seul mot, mais elle avait vu la malade réagir à la voix de Matthieu, ouvrir les yeux, sourire parfois, et d'un sourire qui n'était plus celui de la résignation. L'infirmière avait cru discerner dans les yeux ternis de la jeune femme comme un premier sursaut, une lueur d'espoir.

– Je reviendrai demain et nous recommencerons ! insista Matthieu.

Quand ils furent sortis de la chambre, Fanchette prit les mains de Matthieu et le regarda d'une étrange manière, puis s'éloigna.

Après le bac, Roger Flamant se sentit de nouveau inutile. Les livres de cours avaient été rangés dans un coin et Matthieu s'était inscrit à la faculté de droit avec l'intention de devenir journaliste. Flamant doutait de sa vocation :

– Tu voulais être ingénieur et voilà tout d'un coup que tu veux écrire...

– Avant, je savais pas, je marchais dans le flou ! répondit Matthieu. Tu comprends, le bac, c'était un gros morceau auquel je ne croyais pas beaucoup. Grâce à toi, j'ai franchi l'étape, ce qui me rend ambitieux. Oui, j'ai changé à cause de Marion.

Il baissait la tête. Flamant avait atteint son but : conduire avec succès au bac un enfant perdu, sans attaches ; il éprouvait la tristesse de ceux qui n'ont plus rien à donner.

– Oui, j'ai changé d'avis ! reprit Matthieu sans s'expliquer plus longuement. Ce qui m'intéresse désormais, c'est l'homme, pas ses machines !

Flamant s'ennuyait. Il lisait abondamment, fréquentait les bouquinistes des quais, mais le temps ne passait pas. Matthieu lui en consacrait peu : après le travail, il dormait un peu et se rendait à l'hôpital.

Ainsi le vieux professeur songeait-il à partir, mais pour aller où ? retourner à Tulle ? Le lieu ne comptait guère ; sa vie était une coquille vide. Il aimait Matthieu, mais Matthieu n'avait plus besoin de lui.

– Je veux que tu restes ! s'emporta Matthieu lorsque Flamant lui indiqua son intention de le quitter. Sans toi je suis perdu !

De telles paroles réchauffaient le cœur de l'irascible solitaire qui insista cependant :

– J'ai rien à foutre ! Moi, il faut que je me dévoue à une cause, sinon je deviens aussi mou qu'un fruit pourri !

Matthieu se dressa en face de Flamant. Pour une fois, c'était le vieux qui recevait la leçon de l'élève.

– Tu veux une cause ? Eh bien, tu vas l'avoir. Puisque tu aimes tant faire la classe, moi, je vais te trouver du boulot, et utile ! Tous ces enfants malades à l'hôpital ne demandent pas mieux que d'avoir un répétiteur, quelqu'un qui les aide...

Les yeux de Flamant pétillaient de nouveau. Il frotta sa barbe blanche.

– Tu crois que...

– Je vais t'arranger ça, mais, avant, va t'acheter des fringues. Tu ressembles à un clochard.

Matthieu parla de son projet à Fanchette qui en fut enchantée. Beaucoup d'enfants accusaient des retards scolaires importants. Des éducateurs, des enseignants s'occupaient d'eux, mais en nombre toujours insuffisant. L'aide de Flamant ne pouvait qu'être la bienvenue.

Ainsi, deux jours plus tard, Flamant se présenta au Dr Lejeune, responsable du service de pédiatrie, son chapeau neuf à la main, timide comme un élève qui va passer sa première épreuve orale...

– Ce que tu me fais faire ! dit-il à Matthieu, mais ce n'était pas un reproche.

– Marion, regarde cette voiture, c'est une R8, la toute dernière de Renault. Comment tu la trouves ?

Marion regardait la voiture qui brillait au soleil. Il faisait très chaud, lourd. Matthieu, qui avait arrêté le fauteuil à l'ombre d'un platane, s'essuya le front. Depuis dix jours, matin ou soir, il faisait faire une promenade à la jeune femme, lui montrant chaque détail de la vie, lui répétant inlassablement qu'elle ne devait pas se laisser emporter par la maladie.

– Tu penses bien qu'elle en profite, tu lui cèdes en tout ! Allez, secoue-toi ! Ne la laisse pas te marcher sur les pieds ! Crie-lui ta haine !

Et, contre toute attente, l'état de Marion s'améliorait ; les douleurs étaient toujours aussi vives, mais la jeune femme ne somnolait plus continuellement. Elle écoutait Matthieu, s'intéressait de nouveau à ce qui l'entourait, redécouvrait qu'elle était encore vivante. Le Dr Thivier était perplexe. C'était un petit homme, très raide, aux cheveux en brosse. Il tenait toujours sa main droite derrière le dos, comme pour cacher une infirmité.

– Ce que vous faites est admirable ! dit-il. Je ne dis

pas qu'elle va guérir, mais vous lui maintenez la tête hors de l'eau !

Matthieu ne doutait pas un instant que Marion allait guérir. Il en avait la certitude comme si c'était son destin de la sauver. Et, en luttant avec elle, il pensait à sa mère que personne n'avait aidée.

Les promenades étaient de plus en plus longues et Matthieu ne cessait de montrer à la malade les charmes d'un jardin public rempli de fleurs, d'attirer son attention sur le chant des oiseaux, les cris de joie d'enfants en train de jouer. Un soir, il s'arrangea avec le médecin pour la garder dehors jusqu'à la nuit. Il voulait qu'elle assiste au coucher du soleil. Les moustiques les harcelaient, mais Marion, insensible à leurs piqûres, regardait les couleurs du ciel et le gros soleil s'enfoncer derrière l'horizon au milieu de nuages rouges.

– Tout ça c'est encore à toi, Marion. Tu sens le calme qui tombe sur nous, et cette sérénité du soir... C'est ça, la vie !

Elle avait retrouvé quelques forces et lui prit la main.

– Matthieu..., dit-elle d'une voix hésitante. Je te dois de respirer encore.

– Tu ne me dois rien. Tu seras bientôt sur pied, Marion. Je le sais, parce que c'est comme ça !

Il ramena Marion à l'hôpital alors que les lampadaires s'allumaient. De gros insectes tournaient dans la lumière. Marion redécouvrait ces petites manifestations de la vie qu'elle avait oubliées. Un souffle d'air doux caressait sa peau et elle en frissonnait de plaisir. Elle qui avait été coupée du monde regardait avec intérêt les passants sur le trottoir, des jeunes gens rire, s'embrasser et, dans sa tête, sons et lumières se mélangeaient en une symphonie grandiose.

– Tout ceci est encore à toi, Marion. Il suffit que tu le veuilles. La maladie n'est pas si terrible, c'est une bête peureuse. Montre-lui les griffes et elle s'en ira !

À la mi-août, elle put recommencer à s'alimenter normalement. Ces progrès, Fanchette les enregistrait avec satisfaction, mais se gardait bien de crier victoire. Elle avait vu tant de cas semblables : la leucémie avait régressé au point de sembler complètement vaincue avant de lancer l'ultime assaut.

À la fin du mois d'août, Matthieu prit une semaine de vacances qu'il consacra entièrement à Marion. Roger Flamant l'accompagnait à l'hôpital où il avait pris ses habitudes. Le vieux sauvage était méconnaissable. Désormais, il soignait sa tenue avec une coquetterie qui faisait sourire Matthieu. Son corps avait retrouvé son imposante masse et sa barbe blanche luisait, comme la toison d'un animal bien nourri. Il ne ménageait pas ses efforts et fut très vite apprécié par tout le monde. Fanchette connaissait ses maigres ressources et en parla au Dr Lejeune pour dégager un petit budget afin de l'aider.

Matthieu ne quittait Marion que pour aller dormir. Le matin, quand il arrivait, la malade lui souriait. Elle pouvait, de nouveau, se dresser seule sur son lit et faire quelques pas dans sa chambre. Son visage restait maigre, mais la pâleur n'était plus aussi intense, quelques couleurs revenaient sur ses joues encore flétries.

– Tu me sauves la vie chaque jour !

Un après-midi, ils partirent à la promenade. Marion avait pris goût aux randonnées dans la ville. Elle regardait les vitrines des magasins, se hasardait à faire un projet. Ils s'installèrent à une terrasse de café et la jeune femme commanda une menthe fraîche. En portant la paille à ses lèvres, en aspirant lentement le liquide sucré, elle pensait intensément à chacun de ses gestes, même les plus insignifiants, car ils étaient l'expression même de la vie. Elle ressentait une jouissance profonde à bouger ses doigts, à toucher le verre frais, à pincer la paille entre ses dents...

Matthieu, à côté d'elle, parlait et savait trouver les mots qui la rassuraient :

– Depuis le premier jour, je sais qu'une force impossible à casser me lie à toi. Et si tu meurs, je meurs...

Elle aussi l'aimait, un amour né au temps où ils couraient dans le pré en pente à côté de la vieille fontaine à Lachaud, un amour sournois et malsain quand Matthieu volait les hosties, caché parfois par l'idée qu'il était le messager de la leucémie. Marion avait dû attendre la dernière épreuve, la plus terrible, pour en prendre conscience. La futilité de son comportement passé lui apparaissait ; ayant étreint la mort, elle comprenait que la vie, qui pouvait se souffler comme la flamme d'une bougie, ne se satisfaisait pas de faux-semblants, de fuite en avant. Elle jetait sur son passé un regard affligé.

Depuis deux jours, le temps était lourd. La chaleur suffocante les retenait à l'intérieur tous les après-midi. Matthieu découvrit qu'il y avait une salle de musique au rez-de-chaussée où les enfants recevaient des cours de piano. Il s'assura auprès de Fanchette qu'il pouvait y conduire Marion. Quand ses doigts commencèrent à courir sur le clavier, la jeune femme prit un air étonné et ravi. La bouche entrouverte, elle ressemblait alors à la petite Marion à qui Matthieu apportait des bonbons volés. Puis la musique prit de la force, s'imposa dans cette pièce vide, gomma tout ce qui ne la servait pas, et Marion se laissa emporter. Elle volait au-delà de l'hôpital et s'ouvrait à un monde de lumière sublime. Quand la musique s'arrêta, Matthieu se tourna vers elle. La jeune femme le regardait avec curiosité, comme si elle découvrait son véritable visage. Elle attira Matthieu contre elle et resta longtemps ainsi, enlacée à celui par qui elle renaissait.

Un soir, elle insista pour que Matthieu l'emmène en ville.

– Une folie ! expliqua-t-elle. Ce qui est interdit aux gens dans mon état. Je veux aller dîner au restaurant et boire du champagne.

Le Dr Thivier sourit. Il dit à Marion que ce n'était pas sérieux, mais accorda volontiers la permission. Marion pouvait désormais marcher un peu, le fauteuil roulant était cependant nécessaire, car elle se fatiguait vite.

Ils partirent en fin d'après-midi. Le soleil était bas sur l'horizon et Marion, en s'éloignant de l'hôpital, avait le sentiment de fuir enfin la prison de sa maladie, de renaître une nouvelle fois. Chaque pas qu'elle faisait sur le trottoir chaud était une reconquête.

Ils s'assirent à la terrasse d'un restaurant. Toutes les tables étaient occupées de gens peu pressés qui profitaient du calme du soir. Marion, plus que les autres, y était sensible. L'orage montait, mais cela n'avait pas d'importance : elle se trouvait dans le monde des vivants, elle revenait de très loin, d'un voyage infernal, et savourait le plaisir intense de respirer, de sentir l'air remplir ses poumons.

– Tu comprends, dit-elle à Matthieu, j'ai rechuté dans un restaurant avec toi. C'est donc dans un restaurant, et avec toi, que je veux entamer ma convalescence !

Un serveur apporta une coupe de champagne, elle y porta les lèvres et but lentement une gorgée pour en apprécier toute la saveur ; la tête lui tournait un peu, mais ce n'était plus ce trouble douloureux des chimiothérapies, c'était une douce ivresse qu'elle aurait voulu garder tout le temps. Pendant le dîner, elle fut gaie, évoqua son premier été à Lachaud, puis Matthieu parla de ses années au centre d'éducation surveillée.

– Les juges ont eu raison de me condamner ! Cela m'a permis de faire des études, et de passer mon bac, d'apprendre un peu de musique. Sans toi, ma route aurait été différente. Le bac, c'est à toi que je le dois !

Marion avait posé sa main sur celle du jeune homme. Elle oubliait qu'elle était malade et souriait.

La nuit était tombée. Des éclairs bleus indiquaient que l'orage ne tarderait pas à éclater. Par moments, le roulement lointain du tonnerre dominait le brouhaha.

– Il faut rentrer ! dit Matthieu. Sinon, nous serons trempés !

– Non, restons ! Je veux voir l'orage, je veux sentir la pluie chaude sur ma peau... Tu comprends ?

Bien sûr qu'il comprenait ! L'orage approchait, les gens quittaient leur table. Matthieu régla la note et partit en poussant le fauteuil de Marion qui regardait les éclairs.

– Je t'en prie, ne rentrons pas ! Allons au jardin public...

– Mais Marion, tu vas te mouiller, ce n'est pas bon pour toi... Le Dr Thivier ne sera pas content...

Elle eut un rire qui éclata dans la nuit, comme une poignée de fleurs, le premier rire que Matthieu entendait depuis longtemps. Les éclairs dessinaient dans le ciel les montagnes menaçantes des nuages, le tonnerre martelait les toits, roulait ses tonneaux vides. La colère de la nature s'amplifiait et Marion, fascinée, regardait le spectacle autour d'elle. Tout à coup, un éclair claqua comme un coup de fouet, suivi d'un bruit d'avalanche.

– Mon Dieu que c'est beau ! s'écria Marion. J'avais oublié tout cela...

De grosses gouttes se mirent à tomber, chaudes, pleines d'une vie prise à l'air, au ciel, au feu de la foudre, et Marion levait la tête pour mieux les sentir, ouvrait la bouche pour les boire.

– Il faut rentrer, insista Matthieu.

Un coup de tonnerre violent fit sursauter le jeune homme qui poussait le fauteuil à grands pas hors du jardin public. La pluie, épaisse, martelait le trottoir. Marion riait.

Quand ils arrivèrent, le Dr Thivier, qui les attendait dans le hall, fut surpris de voir Marion détendue, souriante et mouillée jusqu'aux os.

– Ce n'est pas sérieux ! maugréa-t-il.

Matthieu remonta la malade jusqu'à sa chambre. Là, Marion se leva seule de son siège et se plaqua contre lui sans un mot.

– Tu trembles ! dit enfin Matthieu. Il faut te changer.

Deux infirmières arrivèrent pour aider Marion à se sécher. Matthieu les laissa et s'en alla, le cœur léger.

Le lendemain, il trouva Marion debout, habillée, souriante. Fanchette était avec elle, étonnée de son rapide rétablissement, mais ne cachait pas ses craintes.

– Ne t'emballe pas trop vite ! Il faut reprendre ton traitement. Je ne veux pas être le rabat-joie, mais tu sais que cette maladie ne manque pas de vice.

– Non, dit Marion. Je ne rechuterai pas. Je sais que je suis guérie !

– Sois prudente ! insista Fanchette. Tu entres dans une nouvelle phase de rémission, ce qui était inespéré. Pour parler de guérison, il faudra attendre encore quelques années.

Le Dr Thivier faisait sa visite du matin, la main droite dans le dos, raide dans sa blouse blanche.

– Je sais que je ne vais pas vous faire plaisir, dit-il à Marion, mais nous allons reprendre les séances de chimio ! Rappelez-vous : la leucémie a reculé d'un pas, elle n'est pas vaincue...

Marion pensa aux terribles journées qu'elle avait vécues, mais, pour Matthieu, elle acceptait de recommencer.

– T'en fais pas ! dit-il, confiant. C'est la fin du calvaire.

Thivier sortit de la chambre. Marion alla à son armoire, fouilla dans un sac et en sortit une petite poupée rouge, ridicule.

– Tu te souviens ? demanda-t-elle à Matthieu. Tu l'avais trouvée dans une pochette-surprise, le jour de mon arrivée à Lachaud.

Matthieu examina la poupée et se souvint du vol de la pochette-surprise à l'épicerie. Il sourit. À son tour, Marion l'avait guéri de cette leucémie de l'âme qui avait fait de lui un enfant en guerre perpétuelle qui, ne pouvant avoir d'amour, recherchait le rejet des autres pour fuir leur indifférence.

– Ce jour-là, nous nous sommes vus pour la première fois sur le chemin de la fontaine ! dit-il en souriant à ses souvenirs.

– Pour la première fois ! répéta Marion.

Elle rangea la poupée et tendit la main vers la fenêtre. Au-delà de l'hôpital, la ville grouillait.

– Viens !

Elle entraîna Matthieu dehors. Le soleil était revenu ; sa chaleur brûlante annonçait de nouveaux orages. Un pigeon s'était posé dans une flaque et secouait énergiquement ses ailes. L'eau giclait autour de lui en fines gouttelettes de lumière...

TABLE

Impression réalisée sur CAMERON par

BUSSIÈRE CAMEDAN IMPRIMERIES

GROUPE CPI

à Saint-Amand-Montrond (Cher)
pour le compte des Éditions Robert Laffont
en février 2002

N° d'édition : 42751/03. — N° d'impression : 020968/4.
Dépôt légal : décembre 2001.

Imprimé en France